D0971062

Maintenant, c'est ma vie

Meg Rosoff

Maintenant, c'est ma vie

Traduit de l'anglais par
Hélène Collon

Titre original :
HOW I LIVE NOW
(Première publication : Penguin Books Ltd, Londres, 2004)

Pour Debby

Première partie

1

Mon vrai prénom c'est Elizabeth, mais personne ne m'a jamais appelée comme ça. En me jetant un coup d'œil quand je suis née, mon père avait dû trouver que j'avais l'air triste et digne, comme une reine d'autrefois, ou quelqu'un qui vient de mourir. Par la suite je suis devenue banale, sans signe distinctif. Comme ma vie, quoi. Bref, dès le départ j'étais plutôt le genre qu'on surnomme Daisy.

Mais tout a changé l'été où je suis partie en Angleterre passer quelque temps chez mes cousins. Un peu à cause de la guerre, qui a chamboulé pas mal de choses, évidemment, sauf que de toute façon, avant la guerre je ne me rappelle presque rien – pas de quoi écrire un livre, contrairement à ce qui va suivre.

Non, si les choses ont changé c'est surtout à cause d'Edmond.

Voilà ce qui s'est passé.

2

Je descends de l'avion (je vous dirai pourquoi tout à l'heure) à l'aéroport de Londres, et je cherche des yeux une dame entre deux âges que j'ai vue en photo, et qui est ma tante Penn. Les photos en question sont vieilles, mais dessus on dirait le type de femme à porter un gros collier et des talons plats, avec peut-être une robe ajustée, noire ou grise. Mais là, j'extrapole, parce que sur les photos on ne voit que son visage.

Je cherche, je cherche... Autour de moi tout le monde s'en va, et mon portable ne capte pas. Je me dis Super, je vais me retrouver abandonnée dans un aéroport, ça fait donc deux pays qui ne veulent pas de moi, quand tout à coup je me rends compte qu'il reste une seule personne, un gamin qui s'approche de moi et me dit C'est toi Daisy ? Comme j'ai l'air soulagé, lui aussi ; et il ajoute Moi, c'est Edmond.

Salut, je lui dis. Enchantée. Je le dévisage attentivement, histoire de me faire une idée de ma future vie ici chez les cousins.

Je vais vous dire quelle tête il a, avant d'oublier, car cette tête est un peu surprenante chez un gamin de quatorze ans, rapport à la CIGARETTE qu'il a au bec et aussi à ses cheveux (on dirait qu'il les a coupés lui-même, à la hachette, au milieu de la nuit) ; à part ça il a tout l'air d'un chiot perdu – vous savez, celui qu'on trouve au chenil, tout gentil, tout plein d'espoir, adorable, du style à vous fourrer sa truffe dans la main avec une espèce de dignité, après quoi on sait qu'on va le ramener chez soi... Tout à fait lui.

Sauf que c'est lui qui me ramène à la maison.

Donne-moi ton sac, me dit-il, et même s'il fait un kilomètre de moins que moi et qu'il a des bras gros comme des pattes de chien, il empoigne mon sac ; je le reprends aussi sec et je lui dis Et ta mère, où elle est ? Dans la voiture ?

Il sourit, tire sur sa cigarette (ce que je trouve superclasse même si je sais bien que fumer tue et tout ça, mais si ça se trouve, en Angleterre, tous les ados fument ?). Je ne moufte pas, au cas où tout le monde saurait qu'ici on a le droit de fumer dès l'âge de douze ans, et pour ne pas avoir l'air bête en en faisant toute une histoire alors que je viens à peine de débarquer. Quoi qu'il en soit, il me répond Maman a pas pu venir parce qu'elle bosse et quand elle bosse faut la déranger pour rien au monde même si c'est une question de vie ou de mort, et comme y avait personne d'autre de dispo j'ai pris le volant moi-même.

C'est là que je l'ai regardé d'un drôle d'air.

Comment ça, t'as pris le volant toi-même ? TOUT SEUL ? C'est ça, et moi je suis la secrétaire particulière de la duchesse de Panamá.

Là-dessus il a haussé légèrement les épaules en penchant la tête sur le côté genre « chiot de chenil » et m'a désigné une Jeep noire bonne pour la casse dont il a ouvert la portière en passant le bras par la vitre restée ouverte, puis en tirant un grand coup sur la poignée. Après il a jeté mon sac à l'arrière – ou plutôt *poussé*, vu qu'il était plutôt lourd – et il m'a lancé Grimpe, cousine Daisy ; et comme je ne voyais pas d'autre solution, j'ai grimpé.

Alors que j'en suis encore à essayer de comprendre ce qui m'arrive, au lieu de suivre les panneaux Sortie le voilà qui fait demi-tour sur le gazon, se dirige vers un panneau qui dit Interdiction d'entrer et, bien sûr, *entre* aussitôt avant de donner un brusque coup de volant sur la gauche et de passer par-dessus un fossé. On se retrouve sur l'autoroute.

Tu y crois, toi, treize livres cinquante de l'heure pour se garer ici ? qu'il me demande.

Pour être franche, je ne crois pas un instant à ce qui m'arrive, y compris me faire trimballer du mauvais côté de la chaussée par un ado maigrichon qui tire sur sa clope, et faut dire que dans ces circonstances, n'importe qui penserait que l'Angleterre est un pays de dingues.

Mais il m'a regardée encore une fois avec son drôle d'air de petit chien et il m'a dit Tu vas t'habituer, tu verras. Ce qui était quand même bizarre, vu que je n'avais pas prononcé un mot.

3

Je me suis endormie dans la Jeep parce qu'il fallait longtemps pour aller jusque chez eux et qu'à force de regarder défiler l'autoroute j'ai eu envie de fermer les yeux. Quand je les ai rouverts, je me suis retrouvée nez à nez avec le comité d'accueil, qui me regardait fixement à travers la vitre : quatre jeunes, une chèvre et deux chiens dont j'ai appris plus tard qu'ils s'appelaient respectivement Jet et Gin ; en fond je voyais aussi des chats pourchasser une bande de canards qui se baladaient sur la pelouse, allez savoir pourquoi.

L'espace d'une seconde, là, j'ai été drôlement contente d'avoir quinze ans et d'être new-yorkaise car même si je n'ai pas « tout vu » dans ma vie j'ai quand même vu pas mal de choses, et de tous les gens que je connais, c'est moi la plus douée pour prendre l'air blasé genre « ben voyons, je vois ça tous les jours ». Air que j'ai aussitôt pris même si, pour dire la vérité, j'étais quand même prise au dépourvu ; il ne fallait surtout pas laisser croire aux cousins que les ados new-yorkais étaient moins branchés que les ados anglais habitant une très grande maison ancienne avec chèvres, chiens et tout le tralala.

Toujours pas de tante Penn, mais Edmond me présente à mes autres cousins, qui s'appellent Isaac, Osbert et Piper (sans commentaire). Isaac est le jumeau d'Edmond et ils sont parfaitement identiques si ce n'est que ses yeux sont verts et ceux d'Edmond de la couleur du ciel, qui se trouve être gris. Sur le moment c'est Piper qui me plaît le plus, d'autant qu'elle me regarde droit dans les yeux en me disant On est très contents que tu sois là, Elizabeth.

Daisy, je rectifie ; elle hoche la tête d'un air solennel et je sais qu'elle s'en souviendra.

Isaac entreprend de trimballer mon sac, mais Osbert, qui est le plus âgé, vient le lui prendre des mains d'un air supérieur et disparaît avec dans la maison.

Avant de vous raconter ce qui s'est passé après, il faut que je vous parle de la maison, qui est pratiquement indescriptible quand on n'a jamais vécu qu'en appartement à New York.

D'abord, je tiens à préciser qu'elle semble sur le point de s'effondrer, mais que bizarrement, elle n'en est pas moins belle. Elle est en grosses pierres tirant sur le jaune, avec un toit pointu, et construite en « L » autour d'une vaste cour pavée de gros galets. La branche courte du « L » comporte une grande ouverture voûtée, autrefois c'était l'étable, mais maintenant c'est la cuisine et elle est très, très grande, avec du carrelage imbriqué, un tas de grandes fenêtres dans tout le mur de façade et une porte genre étable, en deux parties, qu'on laisse toujours ouverte, Sauf quand il neige, m'informe Edmond.

Une vigne vierge grimpe le long de la façade, et elle a une tige tellement épaisse qu'elle doit pousser là depuis des siècles mais on ne voit pas encore de fleurs, je suppose que c'est trop tôt dans la saison. Derrière la maison, on monte quelques marches et on arrive dans un jardin carré entouré de hauts murs en brique ; là par contre on trouve des tonnes de fleurs qui s'épanouissent déjà dans toutes les nuances du blanc. Dans un angle, il y a une statue représentant un ange de la taille d'un enfant, tout érodée, avec des ailes repliées, et Piper me dit que c'est un enfant qui vécu ici il y a des siècles et qu'on a enterré dans le jardin.

Plus tard, quand je peux enfin visiter la maison elle-même, je me rends compte qu'elle est beaucoup plus compliquée que de l'extérieur, avec de drôles de couloirs qui ont l'air de ne mener nulle part et de toutes petites chambres à coucher au plafond en pente, cachées en haut d'un escalier. Les escaliers, justement, grincent tous, il n'y a aucun rideau aux fenêtres et les pièces principales me paraissent énormes à côté de ce dont j'ai l'habitude ; elles contiennent quelques gros meubles anciens, des tableaux, des livres et des animaux qui prennent la pose dans tous les coins pour leur donner un air encore plus authentiquement désuet.

Les toilettes et salles de bain sont du même style, voire carrément antiques, et font un bruit de tonnerre quand on essaie d'y faire des choses qui ne regardent personne.

À l'arrière de la maison s'étendent des kilomètres de terres cultivées dont certaines ont l'air de simples prairies tandis que d'autres sont des champs de pommes de terre ou de « colza », comme dans « huile de colza », m'apprend Edmond, en pleine floraison jaune acide.

Un fermier vient s'en occuper vu que tante Penn a toujours « quelque chose de très important à faire en rapport avec le processus de paix », et de toute façon, d'après Edmond, elle n'a aucune notion d'agriculture. Ils ont quand même des moutons, des chèvres, des chats et des chiens. Pour faire joli, comme dit Osbert d'un air un peu railleur, et je crois que de tous les cousins c'est lui qui me rappelle le plus les gens que je fréquentais à New York.

Edmond, Piper, Isaac, Osbert, Jet et Gin les chiens noir et blanc et tout un tas de chats entrent d'abord dans la cuisine et s'assoient autour de ou sous une table en bois, quelqu'un prépare du thé pour tout le monde et on me regarde comme si j'étais un spécimen intéressant commandé au zoo, en me posant mille questions beaucoup plus poliment qu'à New York, où les jeunes ont plutôt tendance à attendre qu'un adulte se pointe et distribue des petits gâteaux avec une gaieté feinte en demandant à chacun comment il s'appelle.

Au bout d'un moment j'ai eu un peu la tête qui tournait et je me suis dit Ce qu'il me faudrait pour me remettre les idées en place, c'est un bon verre d'eau bien fraîche, et quand j'ai relevé la tête, j'ai vu Edmond qui se tenait là devant moi en me tendant quelque chose, et ce quelque chose c'était un verre d'eau avec des glaçons, et tout ça avec son fameux air presque souriant mais pas tout à fait, et si je n'y ai pas tellement fait attention sur le coup, j'ai quand même remarqué qu'Isaac le regardait bizarrement.

Puis Osbert s'en est allé ; il a seize ans, et c'est lui l'aîné, je ne sais plus si je l'ai dit, ce qui lui fait un an de plus que moi. Piper m'a demandé si je voulais voir les animaux ou si je préférais aller m'allonger un peu, et j'ai dit « m'allonger » vu que même avant de quitter New York on ne peut pas vraiment dire que j'avais eu ma dose de sommeil. Elle a eu l'air déçu, mais juste une seconde, et à vrai dire, je m'en fichais parce que je me sentais plus d'humeur à me reposer qu'à être polie.

Elle m'a emmenée à l'étage pour me montrer ma chambre, tout au bout d'un couloir, et c'était plutôt le style cellule de moine : assez petite, très simple, avec des murs blancs très épais qui n'étaient pas droits comme dans les maisons neuves et une très grande fenêtre divisée en petits carreaux vaguement jaunes et vaguement verts. Il y avait un gros chat tigré sous le lit et des jonquilles dans une vieille bouteille, et tout à coup, j'ai su que je serais en sécurité dans cette chambre comme je ne l'avais jamais été, ce qui prouve à quel point on peut se tromper – mais voilà que je vais trop vite, une fois de plus.

On a poussé ma valise dans un coin et Piper est revenue avec une grosse pile de couvertures en disant timidement qu'elles avaient été tissées avec la laine des moutons de la ferme il y a très longtemps et que les noires provenaient donc de moutons noirs.

Je me suis complètement enfouie sous une des noires, j'ai fermé les yeux, et pour une raison que j'ignore j'ai eu l'impression d'être à ma place dans cette maison, et ce depuis des siècles, mais je ne faisais peut-être que prendre mes désirs pour des réalités.

Là-dessus, je me suis endormie.

4

Je n'avais pas eu l'intention de dormir toute la journée et toute la nuit, mais c'est pourtant ce qui s'est passé. Quand je me suis réveillée, j'ai trouvé vraiment bizarre d'être couchée dans le lit de quelqu'un d'autre à des milliers de kilomètres de chez moi, avec tout autour de moi une lumière grisâtre et un silence étrange qu'on n'entend jamais à New York, où le vrombissement de la circulation automobile vous tient compagnie en permanence, jour et nuit.

Mon premier réflexe a été de consulter ma messagerie, mais mon portable indiquait PAS DE RÉSEAU et je me suis dit Ah elle est belle, la civilisation ! J'ai un peu paniqué en repensant au slogan de je ne sais quel film – « Personne ne vous entend crier. » Puis je suis allée à la fenêtre et on distinguait un tout petit bout de lumière rose là où le soleil devait être en train de se lever, une brume grise parfaitement calme planait au-dessus de la grange, des jardins et des champs, et tout était beau, parfaitement immobile ; j'ai bien regardé en m'attendant à voir débarquer une biche ou une licorne qui seraient rentrées chez elles en trottinant après une rude nuit, mais je n'ai aperçu que des oiseaux.

Au bout d'un moment j'ai eu froid et je suis retournée sous les couvertures.

Comme j'étais trop intimidée pour sortir de ma chambre je suis restée là à repenser à mon ancien chez-moi, ce qui m'a malheureusement ramenée à Davina la Diabolique, qui avait aspiré l'âme de mon père à travers son vous-savez-quoi, s'était fait mettre enceinte et allait engendrer la progéniture du démon, que Leah et moi on va appeler Damien, comme dans *La Malédiction*, même si c'est une fille.

D'après Leah, ma meilleure amie, D. la D. voulait m'empoisonner progressivement jusqu'à ce que je devienne toute noire, que je gonfle comme une truie et que je meure dans des souffrances indescriptibles, mais son plan a lamentablement échoué car j'ai refusé d'avaler quoi que ce soit et pour finir, elle m'a envoyée habiter chez des cousins que je n'avais jamais vus à quelques milliers de kilomètres pendant que papa, elle et la progéniture du démon continuaient joyeusement leur petit bonhomme de chemin. Je ne sais pas si elle faisait le plus petit effort pour améliorer la mauvaise réputation que s'étaient attirée les belles-mères au cours des siècles, mais en tout cas c'était raté. Zéro pointé.

Je n'ai pas eu le temps de me payer la crise d'angoisse des grands jours : j'ai entendu un tout petit bruit à la porte et Piper a réapparu ; elle a glissé un œil et quand elle a vu que j'étais réveillée elle a poussé un petit couinement joyeux, une espèce de hourra de souris, et m'a demandé si je voulais une tasse de thé.

J'ai dit OK et puis j'ai ajouté Merci en me rappelant d'être polie, et je lui ai souri parce que je continuais à bien l'aimer depuis la veille. Sur ce, elle s'est éclipsée comme la brume, sur la pointe des pieds.

Je suis retournée à la fenêtre et j'ai vu que la brume, justement, s'était levée et que tout était incroyablement vert. Je me suis habillée et j'ai fini par retrouver la cuisine après être entrée par erreur dans quelques pièces vraiment étonnantes ; j'y ai trouvé Isaac et Edmond qui mangeaient du pain grillé à la confiture et Piper qui me faisait mon thé et qui a eu l'air inquiète que j'aie dû me lever pour venir le chercher. À New York, les gamines de neuf ans ne se comportent pas très souvent comme ça, elles ont plutôt tendance à attendre qu'un adulte le fasse à leur place, alors j'ai été impressionnée par son comportement intrépide, mais je me suis aussi demandé si cette bonne vieille tante Penn n'aurait pas par hasard cassé sa pipe et si ses enfants ne cherchaient pas le moyen de m'apprendre la nouvelle.

Maman a travaillé toute la nuit, a dit Edmond, alors elle est allée se coucher, mais elle sera levée pour le déjeuner, tu pourras la voir à ce moment-là.

Voilà qui répondait à ma question, merci Edmond.

Pendant que je buvais mon thé, je voyais bien que Piper voulait me dire quelque chose qui la mettait mal à l'aise, et elle regardait tout le temps Edmond et Isaac, qui se contentaient de lui retourner son regard, mais pour finir elle m'a dit S'il te plaît, Daisy, viens voir la grange. Et son « s'il te plaît » était plus un ordre qu'une requête, sur quoi elle a lancé à ses frères un regard genre « J'ai pas pu m'en empêcher ! ». Quand je me suis levée pour la suivre elle a fait un truc super-gentil, elle m'a pris la main ; ça m'a donné envie de la serrer dans mes bras, surtout qu'être gentil avec Daisy, ces derniers temps, c'était pas le passe-temps préféré de mon entourage.

Dans la grange, où il y avait une odeur d'animaux, mais pas déplaisante, elle m'a montré un tout petit chevreau aux yeux carrés et aux cornes émoussées à peine naissantes, avec une clochette autour du cou accrochée à un collier rouge, elle a dit qu'il s'appelait Ding, qu'il était à elle mais que je pouvais le prendre si je voulais, et là je l'ai serrée dans mes bras pour de bon parce que Piper et son joli petit chevreau étaient aussi adorables l'un que l'autre.

Puis elle m'a montré des moutons au long poil tout emmêlé et des poules qui pondaient des œufs bleus ; dans la paille elle en a trouvé un qui était encore tiède et me l'a donné ; je ne savais pas ce qu'on était censé faire d'un œuf sortant à peine d'un derrière de poule, mais j'ai trouvé que ça aussi c'était gentil.

J'ai hâte de raconter à Leah tout ce qui se passe ici.

Au bout d'un moment je me suis mise à frissonner drôlement ; j'ai dit à Piper qu'il fallait que j'aille m'allonger un peu et elle m'a répondu Il faut que tu manges, tu es trop maigre. J'ai répondu Piper, ne commence pas, c'est juste à cause du décalage horaire, et elle a eu l'air blessée, mais c'est vrai quoi ! Cette vieille scie, je ne tiens vraiment pas à l'entendre dans la bouche de gens que je ne connais même pas.

Quand je me suis relevée il y avait à la cuisine de la soupe, du fromage et une grosse miche de pain, et tante Penn était là ; quand elle m'a vue elle est tout de suite venue me prendre dans ses bras, puis elle a reculé d'un pas, elle m'a dévisagée et elle a dit Ça alors, tu es le portrait d'Elizabeth, comme si c'était une fin de phrase, puis, Tu es le portrait de ta mère, ce qui était une grossière exagération vu que ma mère était belle et moi non. Tante Penn a les mêmes yeux que Piper, sérieux et attentifs, et quand on s'est assises à table elle ne m'a pas servi de soupe ni rien, elle m'a juste dit Je t'en prie Daisy, mange ce que tu veux.

Je leur ai tout dit sur papa, Davina la Diabolique et Damien la semence du démon et ils ont ri, mais on voyait bien qu'ils avaient un peu pitié de moi, et tante Penn a dit Ma foi, le malheur des uns fait le bonheur des autres puisque nous, on est bien contents de t'avoir avec nous, et c'était drôlement sympa, même si elle voulait juste se montrer polie.

J'ai tenté de me faire une idée sur elle sans en avoir l'air en espérant deviner à travers elle – en épiant sa façon d'être et d'agir – un peu de la mère que je n'avais pas eu le temps de connaître. Elle a bien pris soin de me poser des tas de questions sur ma vie et d'écouter attentivement les réponses, comme pour essayer de me comprendre mais pas comme la plupart des adultes, c'est-à-dire en faisant semblant de s'intéresser tout en pensant à autre chose.

Elle m'a demandé comment allait mon père, qu'elle n'avait pas vu depuis des années, et j'ai dit Bien, sauf en ce qui concerne son choix de copines, là ça va pas du tout, mais il allait sûrement beaucoup mieux maintenant que je n'étais plus là pour le lui rappeler à longueur de temps.

Elle a souri d'une drôle de manière, comme si elle se retenait d'éclater de rire, ou peut-être de fondre en larmes, et en la regardant dans les yeux j'ai bien vu qu'elle était de mon côté ; ça c'était nouveau, pour moi, et pas désagréable ; ce devait être à cause de ma mère, sa sœur cadette, qui est morte.

Tout le monde s'est pas mal disputé pendant le déjeuner et sauf pour m'adresser la parole, elle n'est pas beaucoup intervenue ; dans l'ensemble je dirais que l'impression qui se dégageait d'elle c'était qu'elle était un peu ailleurs, sûrement à cause de son travail.

Au bout d'un moment, pendant que les autres parlaient entre eux, elle m'a posé la main sur le bras en me disant tout bas que c'était dommage que ma mère ne soit plus là pour voir à quel point j'étais vive, et je me suis dit Vive ? ? Ça me va pas très bien, ça, comme mot, et je me suis demandé si en fait elle n'avait pas plutôt voulu dire Givrée. Mais bon, peut-être pas, elle n'a pas l'air du genre à chercher constamment des vacheries à dire, contrairement à certaines personnes de ma connaissance.

Après m'avoir dévisagée encore quelques secondes elle a approché tout doucement sa main et écarté mes cheveux de ma figure d'un geste qui, je ne sais pas pourquoi, m'a rendue incroyablement triste ; là-dessus elle a dit d'une voix grave et pleine de regret qu'elle était désolée, mais qu'ayant une conférence à donner à Oslo à la fin de la semaine sur la « menace de guerre imminente » elle avait du travail, et est-ce que je voulais bien l'excuser ? Elle ne resterait que quelques jours là-bas et les enfants s'occuperaient bien de moi. Je me suis dit Tiens, revoilà la guerre qui pointe son nez.

Je n'ai pas beaucoup pensé à la guerre parce que j'en avais marre d'entendre tout le monde discourir à n'en plus finir depuis cinq ans pour savoir si « on allait avoir la guerre ou pas » ; de toute façon je sais très bien qu'on n'y peut rien du tout alors à quoi bon en parler.

Quand j'avais ce genre d'idées je sentais parfois Edmond me regarder avec son drôle d'air attentif ; de temps en temps je lui rendais la pareille, juste pour voir comment il allait réagir. Mais la plupart du temps il se contentait de sourire les yeux mi-clos en prenant l'air plus Vieux Sage que jamais, et je me disais Si j'apprends que ce mec a en fait trente-cinq ans je n'en serai pas autrement surprise.

Voilà à peu près ce qui s'est passé lors de ma première journée en Angleterre à part quand je dormais, et jusque-là je trouvais la « vie chez les cousins » plutôt pas mal, en tout cas nettement mieux que ma prétendue vie chez moi dans la Quatre-Vingt-Sixième Rue.

Tard le soir j'ai entendu le téléphone sonner quelque part dans la maison et je me suis demandé si ça pouvait être mon père qui appelait pour dire Hé, je me suis trompé en envoyant ma fille unique à l'étranger à cause des caprices sans scrupule d'une harpie manipulatrice, mais j'avais trop sommeil pour me lever et chercher à quelle porte écouter. Apparemment, le bon air de la campagne devait déjà me faire un bien fou.

5

Le lendemain matin de bonne heure, je me baladais comme d'habitude dans mon inconscient mal fréquenté quand tout à coup j'ai entendu la voix d'Edmond dire tout près de mon oreille Réveille-toi, Daisy ! J'ai vu son visage à deux centimètres du mien, une cigarette allumée dans sa main et des sortes de pantoufles rayées genre turques à ses pieds ; il m'a dit Viens, on va à la pêche.

J'ai oublié de dire que j'avais horreur de la pêche, et du poisson aussi d'ailleurs ; au lieu de ça je me suis extirpée de sous les couvertures, je me suis habillée sans me laver ni rien et en un clin d'œil je me suis retrouvée avec Edmond, Isaac et Piper dans la Jeep à cahoter sur un chemin... cahoteux avec le soleil qui entrait à flots par les vitres, et j'étais beaucoup plus contente d'être en vie que d'habitude même sachant qu'un tas de poissons allaient y laisser leur peau.

C'est Edmond qui conduisait et on était tous tassés à côté sans ceinture de sécurité pour la bonne raison qu'il n'y en avait pas, et Piper chantait d'une voix d'ange une chanson que je ne connaissais pas, une drôle de mélodie en dents de scie.

On a trouvé un endroit au bord de la rivière, on a garé la Jeep, on est descendus et Isaac a trimballé tout le matériel de pêche pendant qu'Edmond portait le pique-nique et une couverture pour s'étendre ; il ne faisait pas si chaud que ça mais je me suis quand même fabriqué un nid en piétinant les hautes herbes pour y étaler la couverture. Je m'y suis couchée, parfaitement immobile, et je me suis réchauffée à mesure que le soleil montait dans le ciel ; je n'entendais qu'Edmond faire la conversation aux poissons, à voix basse, sans s'arrêter, et de temps en temps un bruit d'éclaboussure ou alors un oiseau qui prenait son essor près de nous en chantant à plein gosier.

Je ne pensais à rien ou presque, juste à cet oiseau, et voilà qu'Edmond m'a murmuré à l'oreille Alouette ; j'ai hoché la tête, sentant qu'il était vain de lui demander comment il connaissait la réponse aux questions qu'on n'avait même pas encore posées. Puis il m'a tendu une tasse de thé brûlant puisé dans le Thermos et s'en est retourné pêcher.

Aucun d'entre eux n'a attrapé grand-chose, sauf Piper : une truite qu'elle a rejetée à l'eau (Piper rejette toujours les poissons à l'eau, a dit Edmond ; Isaac, lui, se taisait, comme toujours). Je me sentais super-bien tant que je restais couchée parce que le vent était frisquet, alors je suis restée là à rêvasser, à penser à tante Penn et à ma vie passée ; j'ai eu un petit flash-back de ce que ça fait d'être heureux.

C'était dans ces moments-là, quand je baissais ma garde une microseconde, que maman avait le chic pour se pointer dans ma cervelle. Alors qu'elle est morte, ce qui fait que les gens prennent une espèce d'air pieux écœurant et disent Oh, je suis navré... comme si c'était leur faute, et en fait, si les gens ne passaient pas leur temps à s'excuser d'avoir posé une question bien normale, style Où elle est ta mère ? j'aurais peut-être pu tirer les vers du nez de quelqu'un et en savoir un peu plus que « Elle est morte en te mettant au monde », ce qui est la version officielle.

Dommage, non, de démarrer sa première journée sur la planète dans la peau d'une meurtrière ? Mais c'est comme ça, je n'ai pas tellement eu le choix. Cela dit, j'aurais pu vivre heureuse sans les étiquettes qu'on m'a collées à cause de ça. Soit « meurtrière », soit « pauvre petit agneau privé de mère ».

Laquelle vous choisiriez, vous, entre les deux ?

Papa était le genre de père à demander qu'on « ne prononce plus jamais son nom » ce qui, si vous voulez mon avis, est vraiment très peu psychologiquement correct de sa part. Le père de Leah, qui bossait à Wall Street, s'est tiré une balle le jour où il a perdu six cents millions de dollars appartenant à quelqu'un d'autre et chez eux, on parle tout le temps de lui. Ce qui, comme aime à me le faire remarquer ma copine, n'est pas non plus la solution idéale.

De temps en temps j'avais envie qu'on me renseigne sur certaines choses très simples, par exemple est-ce qu'elle avait des grands pieds, est-ce qu'elle se maquillait, quelle était sa chanson préférée, est-ce qu'elle aimait les chiens, est-ce qu'elle avait une jolie voix, quel type de livres elle lisait, etc. J'ai décidé de poser certaines de ces questions a tante Penn quand elle reviendrait d'Oslo mais en fait, ce qu'on a vraiment envie de savoir dans ces cas-là, je crois, c'est justement ce qu'on ne peut pas demander, comme par exemple Est-ce qu'elle avait les mêmes yeux que toi, et Quand tu as écarté mes cheveux de mon visage est-ce que ça m'aurait fait le même effet si ç'avait été ma mère, Est-ce qu'elle a eu le temps de me regarder avec la même expression complexe que toi hier, et au fait, Est-ce qu'elle avait peur de mourir.

Puis Edmond et Piper sont venus s'allonger à ma gauche et à ma droite sur la couverture, Piper me tenant la main comme d'habitude, tandis qu'Isaac restait debout dans l'eau, l'air paisible ; ils se sont mis à se disputer sans grand enthousiasme pour savoir quel type de mouches aiment les truites, Edmond faisait des ronds de fumée, et moi j'ai fermé les yeux en me disant J'aimerais bien savoir faire ça.

6

Je n'ai pas beaucoup vu Osbert cette semaine-là car il allait à l'école, contrairement à Isaac, Edmond et Piper, qui étaient censés prendre des « cours par correspondance » – ce qui, d'après ce que j'ai pu constater, consistait à lire les bouquins qui les intéressaient et à s'entendre demander par tante Penn tous les 36 du mois Tu as fait ton devoir de géo ? Ce à quoi ils répondaient Oui.

Je trouvais que c'était le plus grand progrès de tous les temps niveau système éducatif et j'avais hâte d'être inscrite aussi, mais tante Penn a dit que je n'avais pas grand-chose à faire d'ici la rentrée, c'est-à-dire en septembre – rentrée que personne n'a faite de toute façon à cause de vous savez quoi.

Sans qu'on en fasse toute une histoire ni qu'ils me donnent des bourrades amicales comme à la télé en disant « Allez, la cousine », Piper, Edmond, Isaac et moi on s'est mis à tout faire ensemble (de temps en temps j'oubliais Isaac vu qu'il pouvait passer des jours sans prononcer un mot). Je savais que tante Penn ne s'en faisait pas pour ça parce que je l'avais entendue dire à je ne sais qui qu'il parlerait quand il serait prêt, mais moi, tout ce que je me disais c'est qu'à New York on lui aurait passé la camisole de force dès la naissance en le suspendant au-dessus d'une pleine cuve de conseillers pédagogiques et autres experts en rattrapage scolaire qui lui auraient mordillé les mollets pendant vingt ans en s'engueulant à propos de ses déficits particuliers et en se faisant payer fort cher pour ça.

Un soir, au bout de quelques jours, je suis descendue discrètement jusqu'au bureau de tante Penn dans l'espoir d'envoyer des e-mails aux gens qui devaient se demander si j'avais été rayée de la carte ou quoi, et il y avait de la lumière sous la porte ; la voix de tante Penn a dit Edmond ? D'abord j'ai pensé ne pas répondre, m'esquiver sans bruit, mais à la dernière minute j'ai changé d'avis et lancé Non, c'est Daisy. Elle a dit Ah Daisy, entre, je t'en prie ! et elle avait l'air contente de me voir ; elle m'a dit de venir m'asseoir un peu près du feu. On était en avril mais la nuit il faisait un froid de canard, et elle a ajouté Tu ne peux pas savoir ce que ça coûte de chauffer cette vieille baraque pleine de courants d'air.

Je me suis pelotonnée devant le feu et elle a mis son travail de côté en disant qu'elle en avait fait bien assez pour la soirée, et quand elle a vu que je frissonnais encore elle est venue m'envelopper dans une couverture, sans se départir de cette expression un peu souriante mais en plus triste, puis elle s'est assise à côté de moi sur le canapé, elle m'a parlé de sa sœur, et il m'a bien fallu une seconde pour me rendre compte qu'elle parlait de ma mère.

Elle m'a révélé des choses que je n'avais jamais sues, par exemple que ma mère était sur le point d'entrer en fac d'histoire quand elle était tombée amoureuse de mon père, qu'elle avait changé d'avis et que leur père s'était mis très en colère. Quand elle était partie s'installer en Amérique, plus personne n'a voulu lui parler dans la famille, ou presque. Puis tante Penn a pris sur son bureau une photo encadrée représentant deux jeunes femmes qui se ressemblaient énormément, une qui riait et l'autre qui, le visage sérieux, tenait par le cou une énorme chienne grise qui avait l'air sauvage et dont tante Penn a dit qu'elle s'appelait Lady, « pour rire » parce que en réalité elle avait de très mauvaises manières, mais tu as vu comme ta maman l'adorait ?

J'avais vu plein de photos de ma mère chez nous, mais presque toujours avec mon père, et pas une seule prise avant qu'il la rencontre, alors ça m'a fait un effet bizarre parce qu'elle n'avait pas la même tête, elle avait l'air heureuse et jeune, comme quelqu'un qu'on a connu dans une autre vie. Tante Penn a dit que je pouvais garder la photo si je voulais mais j'ai répondu que non, qu'elle était à sa place sur ce bureau, dans cette pièce, que je ne voulais pas l'emporter dans un endroit où elle serait comme étrangère.

Tante Penn a passé plusieurs fois une main sur ses

paupières et dit qu'il était tard, qu'on devait aller se coucher toutes les deux, mais quand j'ai ouvert la porte elle a ajouté Quand ta mère m'a appelée pour m'annoncer qu'elle attendait un bébé j'ai su que de toute sa vie, elle n'avait jamais été aussi heureuse. Et ce bébé c'était toi, Daisy. Puis elle m'a ordonné de remonter vite avant d'attraper froid mais il m'a fallu des heures pour cesser de frissonner – c'est du moins ce qu'il m'a semblé.

Le lendemain tante Penn est partie pour Oslo, et ça ne nous a pas fait grand-chose sauf que maintenant on était Responsables, et drôlement contents de l'être ; cela dit, rétrospectivement je me rends compte que c'est exactement à ce moment-là qu'on a tous commencé à déraper vers la crise, comme l'assassinat de l'archiduc Ferdinand qui a déclenché la Première Guerre mondiale, même si le rapport entre les deux n'a jamais été très clair – en tout cas pour moi.

Sur le coup elle s'est contentée de nous embrasser en souriant et en nous recommandant d'être raisonnables, et quand j'ai vu qu'elle me faisait la bise comme aux autres sans marquer la moindre hésitation ça m'a fait encore plus plaisir que toutes les choses agréables qui s'étaient passées depuis que j'avais débarqué.

On n'a pas tellement eu le temps de savourer la joie d'être orphelins car les choses se sont précipitées.

La première, c'était pas notre faute. Une bombe a éclaté en plein milieu d'une grande gare londonienne le lendemain du départ de tante Penn pour Oslo et il y a eu quelque chose comme sept mille ou soixante-dix-sept mille tués, je ne sais plus.

Évidemment c'est mal passé auprès de la population, ça flanquait la trouille et tout. Mais pour être honnête ça ne nous touchait pas vraiment, nous qui habitions au fin fond de la campagne. Sauf qu'après ça tous les aéroports ont été fermés, donc pendant une période indéterminée plus personne ne pourrait rentrer sur le territoire britannique, dont tante Penn. Aucun d'entre nous n'osait dire que c'était cool de ne pas avoir de parents mais pas besoin d'être médium pour s'en douter. En fait on se disait qu'on avait une veine pas possible et pendant quelque temps on a eu la sensation d'être à bord d'un grand train qui dévalait une montagne, et ce qui nous importait avant tout c'était qu'aller à toute vitesse, c'était drôlement excitant.

Le jour de la bombe tout le monde est resté scotché devant la télé ou la radio, et le téléphone n'a pas arrêté de sonner parce que les gens voulaient savoir si tout allait bien chez nous, mais vu qu'on était à environ six millions de kilomètres de l'épicentre il me semble qu'on avait quand même de bonnes chances de survivre.

Naturellement on parlait partout de pénurie de produits alimentaires, d'arrêter les transports publics, de rappeler tous les hommes en âge de se mettre au service de la patrie, bref, les trucs les plus sinistres qu'ils avaient pu imaginer dans le temps limité qui leur était imparti, et les types de la radio demandaient d'un ton solennel à tous les gens qu'ils alpaguaient dans la rue si « ça voulait dire que c'était la guerre », sur quoi il fallait se fader des experts tout aussi solennels qui faisaient semblant d'en savoir plus que le commun des mortels alors qu'ils auraient tous donné leur bras gauche pour savoir ce qui se tramait dans les hautes sphères.

Mon père a fini par avoir la communication depuis son bureau et le fait d'entendre ma voix a dû suffire à le rassurer, j'étais en vie, il n'y avait pas de raison de s'en faire, car après ça on s'est dit la même chose que d'habitude, à savoir Lui : Ça va ? Tu as besoin d'argent ? Tu veux rentrer à la maison ? Et moi : Oui, non, non, ah, OK. Il a ajouté qu'ils se faisaient tous du souci pour moi mais je ne voyais vraiment pas de qui il voulait parler, puis il a dit qu'il avait une réunion, qu'il fallait qu'il y aille, mais que j'étais sa petite chérie, et voyant que je ne répondais pas, il a raccroché.

Comme j'en avais ras le bol du blabla, Edmond et moi on est descendus à pied au village, qui est extrêmement pittoresque, plein de petites maisons attachées les unes aux autres et construites avec la même pierre un peu jaune que la nôtre. Ce n'était pas très grand mais il y avait des tas de petites rues bordées de maisons toutes pareilles à part les bibelots aux fenêtres ; elles partaient de chaque côté de la grand-rue et Edmond a précisé qu'il y avait quand même un marché toutes les semaines, trois boulangeries, deux boucheries, une église du XIIe (à l'origine), un salon de thé, deux pubs (un bon et un mauvais, le mauvais faisant aussi hôtel), plusieurs ivrognes de longue date et au moins un pédophile présumé, plus un magasin de chaussures qui vendait aussi des impers, des bottes en plastique, des ballons de foot, des bonbons et des sacs à dos « Titi et Gros-Minet ».

Au centre du bourg se trouvait un bâtiment un peu plus grand et plus carré que les autres : la mairie avec sa place pavée où se tenait le marché le mercredi, et à l'autre bout, dans un coin, un des deux pubs. Il s'appelait Le Saumon à cause du poissonnier d'à côté sauf que quand le poissonnier avait fermé on ne s'était pas donné la peine de le rebaptiser. À l'autre angle de la place se trouvait l'équivalent style « Angleterre de jadis » de la supérette new-yorkaise ; je ne sais pourquoi, ça faisait aussi office de bureau de poste, de quincaillerie et, dans la devanture, de maison de la presse, des fois que tout le reste ferait faillite. On y est entrés et, avec l'argent que tante Penn nous avait laissé pour le week-end, on a acheté toutes les bouteilles d'eau minérale et les boîtes de conserve qu'on pouvait porter, ce qui était beaucoup plus marrant que de rester à regarder tout le temps les mêmes images du carnage à la télé ; on essayait d'être très adultes dans nos choix d'aliments à stocker pour soutenir un siège ce qui, soyons francs, n'était pas le scénario le plus plausible vu le trou perdu. On n'était pas les seuls dans la supérette mais les gens étaient assez gentils, surtout parce qu'on était deux ados tout seuls, et personne n'a tenté de nous jeter à terre pour nous piquer nos demi-poires au sirop.

Ça nous laissait tout l'après-midi avec la fin du monde qui nous pendait au nez alors on est remontés à la maison, plus lentement cette fois à cause des bouteilles, et quand on est arrivés Edmond a décrété qu'il fallait déplacer le camp de base dans la grange d'agnelage qui se trouvait à plus d'un kilomètre et demi de la maison et qui était si bien cachée dans un bosquet de chênes que personne ne la trouverait, il fallait savoir qu'elle était là. On s'est dit que si l'Ennemi venait jusqu'ici, au fin fond de la campagne anglaise, on avait intérêt à trouver comment se rendre invisibles – mais en fait, la vraie raison derrière tout ça c'est que ça nous donnait quelque chose à faire.

Piper, Isaac, Edmond et moi on s'est donc mis à trimballer des provisions, des couvertures et des bouquins dans la grange, qui ne contenait habituellement que du foin, et à part les souris c'était confortable et sec, et il y avait de l'eau pour les périodes d'agnelage, donc on a annoncé à Osbert qu'on restait là jusqu'à nouvel ordre, mais je ne sais même pas s'il a entendu, vu qu'il passait son temps à regarder les infos télévisées qui n'annonçaient jamais rien de neuf, à appeler ses amis et à se demander l'air inquiet, comme soixante millions de gens, si on était « en guerre ou pas ».

Quoi qu'il en soit, le temps qu'on s'installe c'était le milieu de l'après-midi et Piper a apporté le *Manuel de survie* scout d'Osbert, ayant décidé qu'il fallait dorénavant chercher nous-mêmes à manger et préparer nos propres repas ; elle a refait tout le chemin en sens inverse pour aller chercher des œufs bleus, puis elle a ramassé des pommes de terre nouvelles dans le champ voisin et menacé de faire sécher des vers de terre sur une grosse pierre et de les moudre pour ajouter des protéines animales dans nos ragoûts. Comme aucun d'entre nous sauf moi, mais j'étais habituée, ne manquait de protéines, on a réussi à la convaincre de garder sa poudre de vers pour des temps plus difficiles ; elle a eu l'air dépité mais n'a pas insisté.

Pendant qu'elle partait en quête de nourriture Isaac est revenu de la maison avec un grand panier plein de fromage et de jambon, plus un cake dans une barquette métallique, des abricots secs, une grande bouteille de jus de pomme et une grosse plaque de chocolat à cuire dans du papier marron.

On a planqué le tout dans une mangeoire pour ne pas faire de peine à Piper et ce qu'elle nous a servi pour finir n'était pas exactement un festin royal mais ça semblait approprié à la crise. Edmond et Isaac ont fait du feu et mis les pommes de terre dedans ; quand il n'y a plus eu que des braises Piper y a couché les œufs ; quand on les a mangés certains étaient un peu crus sur les bords mais ce n'était pas mauvais.

J'ai dit que j'étais trop énervée pour manger et ça n'a paru déranger personne sauf Edmond, qui m'a gratifiée de son coup d'œil habituel ; et là j'ai remarqué que quand on se sait regardée par quelqu'un, c'est difficile de ne pas le regarder aussi.

Après on a aménagé un unique grand lit dans le grenier à foin en étalant des couvertures, on a ôté nos chaussures et on s'est couchés ensemble tout habillés, d'abord Isaac, puis Edmond, ensuite moi, puis Piper, dans cet ordre-là ; au début on gardait nos distances mais on a fini par se rapprocher les uns des autres à cause des chauves-souris qui volaient dans tous les coins et du bruit des grillons, qui peut donner une grande impression de solitude, plus la fraîcheur nocturne et l'idée de tous ces gens qui étaient morts, là-bas, à Londres, à un million de kilomètres de nous. Je n'avais pas l'habitude de dormir avec quelqu'un, et même si j'aimais bien que Piper me tienne tout le temps par la main ça limitait quand même mes mouvements, ça m'empêchait de me tourner sur le côté ; je suis sûre que j'ai été la dernière à m'endormir.

J'entendais Jet et Gin en bas dans la grange puis, alors que je le croyais endormi depuis longtemps, Edmond a dit tout bas que les chiens restaient toujours éveillés dans les périodes d'agnelage car c'était à ce moment-là qu'on avait le plus besoin d'eux, pour rassembler les moutons, et qu'on les avait perturbés en venant dormir ici. Sa voix douce m'a donné envie de me rapprocher un peu de lui, alors c'est ce que j'ai fait. Pendant un petit moment on s'est juste regardés dans les yeux, sans battre des paupières ni prononcer un mot. Puis il a déplacé légèrement sa tête vers la droite pour effleurer de la joue le bout de mon bras qui était près de son visage, après quoi il a fermé les yeux et s'est endormi pendant que je restais là à me demander si c'était normal de ressentir ça quand un cousin touche un endroit bien innocent de votre anatomie même pas dénudé.

Ça a duré un peu comme ça ; je flairais l'odeur de tabac dans les cheveux d'Edmond en attendant de m'endormir. Puis je me suis rappelé toutes les fois où j'avais pensé à un tableau qu'on nous avait donné à copier en cours de dessin un jour, *Le Calme avant la tempête*. On y voyait un bateau à voiles à l'ancienne sur une mer d'huile, avec en fond un ciel dans tous les tons d'or, d'orange et de rouge – on aurait dit une scène respirant la sérénité même, jusqu'à ce qu'on distingue une petite tache vert et noir dans un coin (la Tempête, de toute évidence). Je ne sais pas pourquoi, j'avais souvent repensé à cette peinture, sans doute à cause de ce qu'on ressent quand on a l'impression qu'il va se passer quelque chose d'affreux, vu que les gens du tableau ne se doutent de rien et qu'on ne peut malheureusement pas les avertir que leur vie ne sera plus jamais la même.

« Le calme avant la tempête », c'est bien le genre d'expression qui vous vient spontanément à l'esprit dans ces circonstances, alors que je n'avais jamais été aussi heureuse de ma vie : à cause de ce que j'avais vécu, je m'attendais toujours à ce que tout tourne comme dans le pire mélo hollywoodien, avec la jeune fille aveugle jouée par la « future nominée aux Oscars » de l'année, le jeune homme infirme qui remarche par miracle et tout le monde qui rentre chez soi bien content.

7

Le lendemain, sans dire explicitement qu'on renonçait au plan grange, on a en quelque sorte gravité vers la maison, histoire de prendre un bain et de se changer car si vous voulez savoir, c'est pas si romantique que ça de dormir dans une grange, entre le foin qui pique, les chauves-souris et le froid qu'il fait la nuit alors qu'on est censés être au printemps.

Osbert était fâché sous prétexte qu'il avait dû traire les chèvres alors que c'était le boulot de Piper, et on a appris que tante Penn avait appelé d'Oslo ; elle faisait tout ce qui était en son pouvoir pour rentrer, mais d'ici là il y avait de l'argent sur son compte en banque pour faire la jointure, et elle avait appelé le directeur pour le prévenir. Osbert a dit qu'elle semblait plus inquiète pour le sort du monde que pour nous mais apparemment ça ne l'embêtait pas de venir seulement en seconde position, sur quoi Piper a conclu C'est parce qu'elle sait qu'on se débrouillera très bien.

L'espace d'une seconde, pendant qu'Osbert parlait de

tante Penn, Edmond est devenu tout pâle, mais comme il regardait Isaac je n'ai pas pu en être absolument certaine ; quand il s'est retourné il avait de nouveau l'air normal. Il a dit Partout dans le monde il y a des gens qui l'aideront s'ils peuvent, et la conversation s'est arrêtée là.

Les postes britanniques n'avaient pas du tout l'air de savoir que la guerre allait éclater parce que ce jour-là j'ai reçu une lettre de papa et une de Leah. Papa était intarissable sur Davina la D., comment elle se sentait à cause de sa grossesse et tout ça, comme si ça m'empêchait de dormir de savoir qu'elle n'était pas dans son assiette alors qu'en fait, j'espérais que ses chevilles allaient enfler comme des ballons, ses seins lui dégringoler jusqu'aux genoux et le silicone dont ils sont bourrés se transformer en ciment. Il y avait un petit bout de phrase tout à la fin pour dire que je lui manquais et que je devais bien faire attention à ne pas être « victime de la menace terroriste » et est-ce que j'avais réussi à prendre un peu de poids blablabla.

La lettre de Leah était beaucoup plus marrante : Melissa Banner, qui était la branchitude incarnée, se baladait partout en disant à qui voulait l'entendre qu'elle et Lyle Hershberg « étaient ensemble ». Tu parles ! Si c'est vrai je veux bien léguer tous mes biens matériels à l'Armée du salut et à mon avis, y a peu de chances pour qu'un tubiste de coin de rue récupère mon lecteur de DVD vu que Lyle est connu pour avoir dit à sa dernière copine, Mimi Maloney, que si elle ne « satisfaisait pas ses besoins » au moins trois fois par jour il serait obligé d'aller chercher ailleurs ; or, Melissa Banner est la numéro 1 mondiale des professionnelles de la virginité. Un jour, Leah est tombée par hasard sur Lyle en train de « satisfaire ses besoins » tout seul en salle d'étude à un moment où tout le monde était censé être à l'appel ; elle a dit Ben dis donc, Lyle, j'sais pas si t'es au courant mais y a un Schtroumpf qui bande dans ton falzar. Enfin, c'est ce qu'elle prétend, mais sans vouloir la traiter de menteuse ni rien, j'ai toujours eu un léger doute, quand même.

Je mourais d'envie de discuter de tout ça avec Leah là, tout de suite, et j'en aurais pleuré de ne plus avoir de portable qui marche ni d'e-mail, quand bien même j'aurais eu cent douze cousins dingos à la place.

Alors je me suis mis à lui répondre en lui parlant d'Edmond, de Piper, d'Isaac, des animaux, de la maison et de la guerre, et j'ai un peu enjolivé le tableau ; le temps de finir la lettre je m'étais convaincue moi-même que « ça au moins c'était la vraie vie » et que « j'avais un bol terrible ». Seulement, c'est plus facile à dire qu'à faire, se convaincre que le bon Dieu vous a souri alors qu'on vit chez des quasi-inconnus suite aux sombres machinations de votre méchante belle-mère, pour ne rien dire de votre plus proche parent.

Puis Osbert est revenu en faisant une tête de pigeon mort et il a dit qu'il y avait eu de nouveaux attentats, cette fois aux États-Unis.

Quand j'ai demandé, histoire d'avoir l'air intéressée,

C'est grave ? et Où ? Il a répondu Pittsburgh, Detroit, Houston (en prononçant de travers). Bon, d'un côté j'étais contente qu'on n'ait pas posé de bombes à New York dans l'Upper West Side, mais d'un autre, j'ai commencé à fantasmer sur papa et Davina clopinants, couverts de bandages de la tête aux pieds et cherchant à venir vivre ici avec nous en disant On est VRAIMENT désolés mais les aéroports sont fermés sinon on aurait ADORÉ t'avoir avec nous, je te jure.

J'ai essayé de manger un peu de bacon aujourd'hui car Edmond me l'a demandé avec insistance mais comme ça avait un goût de cochon je me suis étranglée avec.

8

Le moment est bien choisi pour parler d'Isaac parce qu'il n'est presque jamais question de lui vu qu'il n'ouvre presque jamais la bouche, sauf que je commence à comprendre que c'est justement ceux qui s'abstiennent de jacasser sans arrêt qui sont parfois les plus intéressants.

Au début c'est à peine si je l'ai remarqué – faut dire que je ne voyais qu'Edmond et que Piper me tenait tout le temps par la main, sans parler des poules qui gloussaient, des chiens qui aboyaient et des moutons qui bêlaient, avec en plus, bien sûr, le monde entier qui explosait de partout et la tuyauterie qui faisait un boucan d'enfer de jour comme de nuit. Donc, il m'a fallu plus longtemps que d'habitude pour piger que si Piper et Edmond veillaient sur moi, Isaac, lui, veillait sur eux.

Ça ne se voyait pas autant que chez Osbert, qui s'immisçait constamment dans la conversation en sachant toujours tout mieux que tout le monde et nous faisait clairement comprendre que c'était lui qui « avait charge de famille », que c'était « épuisant » et qu'il « s'en serait bien passé » mais « vu qu'il était l'aîné... », profond soupir...

Edmond, lui, était d'une franchise totale, même s'il pouvait me surprendre de cinq cent mille autres manières tous les jours. Quand il écoutait les pensées des gens, on le voyait sur sa figure.

Quant à Isaac, il était plus difficile à cerner et gardait son opinion pour lui. Je ne dis pas qu'il était sournois dans sa façon de nous surveiller, ni que son attitude était due à quelque chose de sentimental. Mais il acceptait ce que faisaient les autres gens sans émettre de commentaire ou de jugement, et peut-être sans se sentir très concerné. Même sa propre famille semblait l'intéresser de manière un peu abstraite, comme si c'étaient autant de spécimens de laboratoire dont il en serait venu à se sentir responsable et pour qui il se serait pris d'affection.

Certaines fois je le trouvais moins humain qu'animal. Par exemple, quand on allait au bourg les jours de marché et qu'il y avait foule, genre des millions de gens partout, inutile d'avoir peur de le perdre même si on oubliait complètement qu'il était là et qu'on était séparés de lui pendant des heures. On pouvait zigzaguer ou faire demi-tour cent fois sur un coup de tête, s'arrêter boire le thé quelque part, couper par les petites rues ou changer de comportement sans raison en allant acheter du pain à la boulangerie où on n'allait jamais en temps normal, tout à coup Isaac était là quand même, l'air de rien, comme s'il ne nous avait pas quittés d'une semelle, à moins qu'il nous ait suivis en se raccrochant au fil de nos pensées à travers la foule.

C'était comme s'il comprenait objectivement les êtres humains, comme s'il était capable de voir notre vie entière se dévider dans les deux sens, y compris la boulangerie, laquelle précisément et à quel moment.

Avec les non-humains, par contre, il était tout à fait différent. Face à un chien, un cheval, un blaireau ou un renard, on le sentait impliqué jusqu'à la moelle. Dans ces cas-là, même son visage changeait ; son air poliment distant cédait la place à une expression concentrée, vivante.

Et les animaux le sentaient très bien. Pas la peine de chercher des heures la chatte qui allait avoir ses petits : Isaac vous disait tout de suite Dans l'abri de jardin sous le bout de toile de jute, et c'était là qu'on la trouvait effectivement avec ses cinq chatons (dont elle lui avait probablement déjà révélé le nom). Piper disait qu'avant, les gens venaient emprunter Isaac quand ils allaient acheter un chien car au premier coup d'œil il voyait si la bête avait quelque chose qui clochait ou si elle était du style à dévorer à belles dents le bébé qui vient de naître comme ça, par pur caprice.

On peut se demander, comme moi, ce qu'un chien ou un mouton peut bien avoir de si intéressant à dire à quelqu'un comme Isaac, mais je suppose qu'il pensait la même chose face à une extraterrestre comme moi. Moi qui n'ai jamais rien raconté de passionnant à qui que ce soit à part moi-même.

Sans compter les psys. Eux, c'est pour le fric qu'ils vous écoutent.

César comme s'il comprenait objectivement les êtres humains, comme s'il était capable de voir notre vie entière se dévider dans les deux sens ; [illegible]

Avec les [illegible] il en allait [illegible] différent. Face à un chien, un cheval, un [illegible] qu'on [illegible] la [illegible]

[illegible]

[illegible] les animaux le seul [illegible] de peine de [illegible]

[illegible] vous disait [illegible] la toile de jeu [illegible] affectueusement avec ses cinq [illegible] elle fut [illegible] probablement déjà [illegible] les gens [illegible] d'un chien [illegible] premier coup d'œil il voyait si le [illegible] avait quelque chose [illegible] qu'il [illegible] à belles dents [illegible] ou [illegible] capricieux.

On [illegible] bien [illegible] quelque [illegible] [illegible] qui [illegible]

[illegible] compte [illegible] pour [illegible] vous [illegible]

9

Aujourd'hui on a frappé à la porte et c'étaient deux envoyés « de la Région » qui venaient nous inscrire et « évaluer nos besoins en matière de soins et de nutrition » – il s'est avéré que ça voulait dire Est-ce que quelqu'un a l'appendicite ou le scorbut ici ?

Ils avaient un registre de noms et d'adresses gros comme un annuaire téléphonique ; certaines listes étaient cochées, d'autres rayées et on voyait des centaines de points d'interrogation éparpillés sur toutes les pages. On sentait très nettement qu'ils regrettaient de ne pas avoir posé deux-trois questions de plus sur leur job avant de signer leur contrat d'embauche.

Quand ils ont eu trouvé tante Penn sur la liste et inscrit un tas de « x » plus un point d'interrogation à côté de son nom puis posé quelques questions administratives ils ont demandé à parler à la personne responsable de nous et ont paru plutôt surpris quand ils ont appris que ce qui nous tenait lieu d'adulte à la maison, c'était Osbert.

Mais vu qu'il n'y avait pas grand-chose à faire dans notre cas à part rédiger un rapport officiel que personne ne recevrait ni ne lirait jamais et dont tout le monde se fichait, ils ont préféré s'en tenir aux questions qu'ils posaient à tout un chacun à des kilomètres à la ronde, genre Est-ce que les animaux de la ferme servaient à nous nourrir ? À quoi Osbert a répondu qu'on n'avait qu'un tout petit nombre de moutons qu'on gardait pour la laine et la reproduction ou pour vendre aux autres fermes, que les chèvres étaient des animaux de compagnie mais qu'on n'avait que des poules « de ponte », ce que j'ai trouvé marrant sur le coup en imaginant qu'il y avait des poules pour pauvres et d'autres pour riches.

Puis ils nous ont demandé notre nom et notre âge ; Osbert a dit que j'étais la cousine d'Amérique et là ils ont pris l'air encore plus perplexe ; ils m'ont demandé mon passeport et posé plein de questions sur papa, et quelle idée d'envoyer sa fille à l'étranger dans un moment pareil, ce à quoi j'ai répliqué Figurez-vous que ça ne m'avait pas échappé non plus.

Ils m'ont lancé le regard noir auquel j'ai droit de la part de tout le monde ou presque depuis quelque temps et nous ont demandé si on avait assez d'argent pour manger ; Osbert a expliqué qu'il y en avait sur le compte de sa mère et l'autre a dit On va voir ce qu'on peut faire pour vous, en ajoutant que ce n'était pas encore une certitude mais que le rationnement allait sans doute être institué bientôt à cause des embargos, que les écoles fermaient plus tôt que prévu pour les vacances d'été et qu'il fallait éviter de se balader sur les routes. Comme si c'était notre passe-temps favori.

On leur a demandé ce qui allait se passer maintenant et combien de temps la guerre allait durer à leur avis, mais au regard totalement inexpressif qu'ils nous ont retourné on voyait qu'ils ne s'étaient jamais posé la question.

Bon, c'était rassurant de savoir que les autorités locales s'intéressaient à notre sort, mais cette visite n'a pas provoqué de changements radicaux dans notre façon de vivre vu que depuis quelques jours on traînait par-ci, par-là à se demander quoi faire, avec de temps en temps une descente au bourg pour faire la queue des heures en écoutant les commérages sur ce qui « était réellement en train de se passer ». La vérité, à mon avis, c'est que personne n'en avait la moindre idée, mais que ça ne les empêchait pas de feindre le contraire.

Les gens dont les amis, ou des amis d'amis, avaient réussi à leur passer un coup de fil ou à leur envoyer un mail disaient que « Londres était occupée », qu'il y avait des militaires et des chars dans les rues, des incendies et l'anarchie partout. On disait que les hôpitaux étaient pleins à ras bord de gens qui avaient été intoxiqués ou blessés dans les bombardements et qu'on se battait pour la nourriture et l'eau potable.

Un vieux dingue n'arrêtait pas de chuchoter à qui voulait l'entendre que les « forces ennemies » s'étaient emparées de la BBC et qu'il ne fallait pas croire ce qu'elle disait ; sa femme levait les yeux au ciel en précisant qu'il avait encore peur des Allemands depuis la dernière fois.

J'ai découvert sur la tête des gens des expressions que je n'avais jamais vues de ma vie, un mélange d'inquiétude, de supériorité et de paranoïa, le tout se traduisant par une unique grimace polie. Tout le monde s'efforçait d'avoir l'air au courant ou de détenir « des nouvelles beaucoup plus fraîches » que les autres tout en n'étant pas « en droit » de les révéler.

On descendait tous les jours au village patienter dans les files d'attente jusqu'à ce que ce soit notre tour d'acheter quelques biens de première nécessité. Je ne sais pas pourquoi, ça m'a rappelé les braderies de supermarchés chez nous sauf que là y avait pas grand-chose à manger et qu'on n'avait pas le droit de courir dans tous les sens en bourrant ses sacs de provisions.

Le pire, c'était d'être obligé d'écouter les dingues clamer leurs hypothèses à la noix, et on ne pouvait même pas faire semblant d'être sourds puisque c'était un tout petit village et que tout le monde savait tout sur tout le monde.

Exemple de trucs qu'on les entendait débiter à voix basse exprès, surtout quand « il y avait des enfants dans les parages » ; si vous trouvez que ce n'est pas si terrible que ça, essayez de vous repasser le tout en boucle tout en écoutant et en souriant courtoisement jusqu'à en avoir les joues qui font mal et des tics plein la figure :

1. Mon beau-frère dit que c'est un coup de ces salopards de Français.

2. Mon amie de Chelsea dit qu'il y a des pillages affreux et qu'elle, elle a eu une super-télé à écran extralarge.

3. Ma voisine des Lords prétend que ce sont les Chinois.

4. Vous avez remarqué qu'aucun Juif n'a été tué ?

5. Il y a un abri antiatomique sous Marks & Spencer qui n'est accessible qu'aux actionnaires.

6. Les gens commencent à manger leurs animaux domestiques.

7. La reine fait face.

8. La reine n'est pas à la hauteur.

9. La reine fait partie du complot.

Comme vous pouvez l'imaginer, c'était le grand événement mondain de la journée et c'était à qui inventerait la pire nouvelle.

Un couple de Londoniens qui avait une maison de campagne près du village était là « pour une durée indéterminée ». Ils disaient qu'ils avaient deux enfants et un bouvier des Flandres de pure race (j'ai découvert alors que c'était un chien) et que d'après eux, on était bien plus en sécurité ici qu'à Londres. Ils avaient sans doute raison, si on exceptait les gens du coin qui mettaient tout à coup des « Eux » et des « Nous » partout. Ils restaient à peu près civilisé mais on voyait déjà que sous la surface ils détestaient ces snobs, avec leur chien de riches au nom français, et n'attendaient que le moment de la revanche, quand il n'y aurait plus rien à manger.

Un tas de familles inquiètes pour nous nous ont demandé si on avait un toit, vu que tante Penn était partie, mais on voyait bien qu'ils n'auraient pas voulu de nous, même si nous on avait bien voulu d'eux. De temps en temps, quand on leur disait Non merci, ils avaient l'air tellement soulagés qu'on en était un peu vexés quand même.

À mesure que les jours passaient on voyait l'affolement gagner de plus en plus de gens, les autres se composant un visage sombre, émettant de petits claquements de langue et répétant que c'était « vraiment épouvantable ». Cela dit, dès qu'on repartait, nous, on était assez joyeux et on rigolait pendant tout le trajet de retour, un peu pour remonter le moral de Piper, un peu parce que tout ça avait encore un petit air d'aventure, parce que le soleil brillait et que guerre ou pas, ça faisait une belle balade.

J'avais hâte de raconter tout ça à Leah, notamment que c'était vraiment génial d'être tout seuls sans adultes pour nous dire en permanence quoi faire. Évidemment je ne l'avouais pas, mais soyons honnêtes : on avait beau prendre l'air affligé, dire que c'était vraiment affreux que tous ces gens aient été tués, Que va devenir la Démocratie ? et Quel avenir pour notre beau pays ?, ce qu'aucun de nous ne disait à haute voix, c'est qu'en réalité ON S'EN FICHAIT PAS MAL. Les victimes étaient soit des vieux comme nos parents, qui avaient donc leur vie derrière eux, ou des employés de banque, donc ennuyeux à mourir, ou de toute façon des gens qu'on ne connaissait pas, alors...

Osbert et ses copains de classe disaient que ce serait super d'habiter Londres, d'espionner subtilement l'Ennemi pour lui soutirer des renseignements, mais moi je me disais Ben voyons, Osbert et sa bande de morveux seraient sûrement les premiers à qui je confierais le salut de la Nation si j'étais Première ministre.

Un après-midi, j'ai trouvé Edmond dans la grange du bas en train de nourrir les animaux et j'ai joué avec Ding pendant qu'il trayait les chèvres. Ding, qui était gentil comme un chiot, donnait de petits coups de tête polis jusqu'à ce qu'on lui gratte les oreilles puis restait là comme en transe, les yeux fermés, en s'appuyant de plus en plus fort contre vous ; plus on grattait plus il s'appuyait fort, si bien que si on faisait un pas de côté il se cassait la figure.

Après on a rapporté le lait à la maison et il s'est mis à pleuvoir ; Edmond et moi on est allés dans ma chambre, il a allumé une cigarette et on a parlé de tout un tas de choses, et il m'a posé mille questions qui d'habitude me rendent dingue, genre Pourquoi je ne mange presque rien.

Je ne sais pas pourquoi, cette fois ça ne m'a pas énervée qu'il me demande ça, et j'ai sincèrement essayé de lui expliquer qu'au début c'était pour ne pas me faire empoisonner par ma belle-mère et que ça l'énervait terriblement, mais qu'après j'avais découvert que j'aimais bien la sensation de faim, outre que ça rendait tout le monde hyper-dingue, que ça coûtait une fortune à mon père en visites chez les psys et que pour ne pas manger, j'étais assez douée.

Il ne m'a pas regardée pendant que je lui racontais tout ça, mais au bout d'un petit moment il s'est laissé aller en arrière sur le lit où on était assis, en mettant son genou contre le mien, et j'ai encore ressenti ce truc qu'on n'est pas censée ressentir avec son propre cousin ; je me suis demandé très doucement « ce qui m'arrivait » mais naturellement, avec Edmond ça ne marche pas ; même doucement, il entend, s'il est en train d'écouter. Il faut pas mal de pratique pour apprendre à faire gaffe à ce qu'on pense dans le secret de sa propre tête. D'un autre côté, ça a des avantages de pouvoir penser quelque chose quand on veut justement que ce soit entendu. Ça évite pas mal de tâtonnements maladroits.

Ça t'arrive de penser à la mort ? m'a demandé Edmond en prenant la tangente.

Et j'ai répondu Oui, tout le temps, mais surtout pour culpabiliser les gens.

Il n'a pas répondu et quand, beaucoup plus tard, je me suis repassé mentalement notre conversation je me suis rendu compte que je ne lui avais pas retourné sa question.

On est restés sans parler, à écouter la pluie frapper les carreaux, c'est tout, avec le genou d'Edmond toujours contre le mien et un sentiment qui voltigeait n'importe comment entre nous, comme un oiseau prisonnier dans une pièce. La sensation que j'éprouvais depuis déjà un moment était devenue tellement forte que j'en avais la tête qui tournait ; jusque-là on avait fait comme si c'était juste de l'affection normale entre cousins, le genre d'âneries qu'on se raconte quand on ne veut pas s'avouer qu'en fait, quelque chose est en train d'arriver.

Au bout d'un temps j'ai tenté une expérience en pensant quelque chose tout bas au fond de moi, et pendant une éternité il ne s'est rien passé. Edmond est resté là sans rien faire, les yeux fermés ; j'étais à la fois un peu déçue et un peu soulagée, mais juste à la seconde où j'allais passer à autre chose dans ma tête il s'est soulevé sur un coude et m'a regardée avec un petit sourire, puis il m'a embrassée sur la bouche très doucement, très gentiment, sur quoi on a recommencé, mais moins doucement.

Après un petit moment comme ça, ma tête, mon corps et chaque centimètre carré vivant de ma personne ont été submergés par une sensation de faim, de faim dévorante, de faim d'Edmond.

Ça tombait bien, la faim c'était justement ma sensation préférée.

10

Il serait beaucoup plus facile de raconter cette histoire si ça parlait d'amour chaste et idéal entre « deux enfants seuls contre le monde entier en temps de crise historique », mais soyons francs : ça serait bidon.

La vérité c'est que la guerre n'avait pas grand-chose à voir là-dedans, sauf qu'elle nous a fourni un havre en dehors de tout où deux gamins trop jeunes et trop proches parents pouvaient s'embrasser sans personne pour les en empêcher. Ni parents, ni profs, ni contraintes d'emplois du temps. On n'avait ni endroit où aller ni trucs à faire pour nous rappeler que normalement ces choses-là n'arrivent pas dans le « monde réel ». De toute façon, il n'y avait *plus* de « monde réel ».

Pendant un temps, Edmond et moi on a fait comme si ce qui se passait entre nous était complètement réversible. On se baladait çà et là toute la journée sans se regarder et en faisant comme si de rien n'était.

Mais ça n'y a rien fait. Finalement, c'est vrai qu'un « objet en mouvement reste en mouvement ». Merci

Mlle Greene, prof de physique au collège pour filles où j'étais avant, cette bonne vieille Nightingale-Bamford School for Girls à New York. Je n'aurais jamais cru que ça me servirait un jour, les trucs que vous nous avez racontés.

Ce qu'il faut essayer de comprendre, c'est que la transe sexuelle et affective avec un cousin mineur n'était pas vraiment une priorité pour moi quand je suis venue séjourner en Angleterre, figurez-vous ; mais je commençais à croire que certaines choses arrivent qu'on le veuille ou non et qu'une fois qu'elles sont lancées, on n'a plus qu'à s'accrocher, fermer les yeux et attendre de voir où on va atterrir quand ça va s'arrêter.

Dans notre cas, les « choses » sont arrivées en masse.

L'étape suivante, c'est qu'on s'est mis à dormir toute la journée ou presque pour pouvoir rester éveillés la nuit, quand les autres étaient au lit. Évidemment, si dans les histoires d'amour interdit, on devait choisir son public parmi les gens qu'on a le moins envie d'avoir pour témoins, Isaac et Piper gagneraient haut la main. Isaac parce qu'il savait toujours où était Edmond à cause de son espèce d'instinct de navigateur, des fois que ça ne sauterait pas aux yeux de toute manière, et Piper parce qu'elle est tellement dans la bonté et la pureté que si elle ne comprend pas ce qui se passe elle reste là à vous dévisager jusqu'à ce qu'on lui dise la vérité ou qu'on coure se planquer quelque part. Or, ni l'un ni l'autre n'avions envie de lui dire la vérité, alors la plupart du temps, on se planquait.

Entre nous, c'était si intense qu'on devait nous entendre vibrer derrière les murs. Piper et Isaac ne disaient rien, mais les chiens n'étaient pas dans leur état normal ; ils se comportaient bizarrement, comme si cette vibration et l'odeur de notre peau les rendaient anxieux. Gin ne quittait plus Edmond d'une semelle ; elle était sans arrêt dans ses pattes et lui fourrait le museau sous le bras dès qu'il s'asseyait comme si elle cherchait à se cacher à l'intérieur de lui. À tel point qu'il devait la caresser en permanence sinon elle se mettait à pousser des couinements pitoyables, jusqu'à ce qu'Osbert braille depuis la pièce voisine Vous allez faire taire ce clébard oui ou non ?

Certaines nuits Edmond était obligé de l'enfermer dans la grange si on voulait être tranquilles, mais au fond de moi j'avais de la peine pour elle car je comprenais tout à fait ce qu'elle ressentait.

Osbert était apparemment le seul à ne se douter de rien. Il était tellement absorbé par le « déclin de la Civilisation Occidentale » qu'il passait complètement à côté de son équivalent en miniature, qui se déroulait juste sous son nez.

Aucune nouvelle de tante Penn. Il y avait des semaines qu'elle était partie et à chaque moment de la journée on avait l'impression de vivre une nouvelle vie bizarre où le fait d'« être sans nouvelles de tante Penn » avait parfaitement sa place. On voyait bien que Piper soupirait douloureusement après sa mère, et moi j'aurais bien voulu lui poser encore quelques questions, mais à part ça, si elle avait débarqué juste là, maintenant, en pleine obsession sexuelle parfaitement déplacée, j'aurais trouvé ça très embêtant, c'est rien de le dire.

Et moi là-dedans ? J'étais complètement ailleurs – mais quand même pas au point de croire qu'un individu un tant soit peu réaliste pouvait approuver ce qu'on faisait.

Cela dit, j'aimerais formuler une remarque importante avant d'aller plus loin : à ceux qui voudraient m'arrêter pour détournement de mineur innocent, je tiens à dire qu'Edmond n'était *pas détournable*. Il y a des gens comme ça, et si vous ne me croyez pas c'est que vous n'en avez jamais rencontré, c'est tout.

Tant pis pour vous.

11

Ça faisait maintenant cinq semaines que la guerre avait commencé.

Tous les jours on apprenait que de nouveaux attentats avaient eu lieu. Les aéroports étaient toujours fermés, et de temps en temps le courant électrique clignotait puis se coupait pour de bon. Les sources d'information habituelles, y compris le mail et les portables, étaient bien trop lentes et trop peu fiables pour servir à quoi que soit ; quant à la télé ce n'était même pas la peine d'en parler. D'après Osbert on pouvait essayer d'envoyer des e-mails mais ils revenaient sans qu'on sache pourquoi ; pareil pour les SMS. Parfois ils arrivaient, mais sous une autre forme. À d'autres moments, pas moyen d'avoir la tonalité, et ça pouvait durer des heures. Au bout du compte c'était plus simple de laisser tomber et de prendre un bouquin.

Rien de tout ça ne me perturbait outre mesure vu que de toute façon personne ne m'appelait jamais mais ça angoissait Osbert, je crois, parce qu'il avait de plus en plus de mal à garder le contact avec ses copains fans d'espionnage qui passaient leur temps à fomenter des virées clandestines au pub pour échanger des informations. Ils avaient beau s'entraîner à prendre l'air austère, la vérité c'est qu'ils étaient bien contents d'attendre qu'il y ait enfin de l'action, pour pouvoir débusquer les collabos et regarder le danger en face tout en portant des messages de l'autre côté des lignes ennemies.

Ces films-là, on les a tous vus.

Là-dessus, juste comme on commençait à s'habituer à notre nouvelle existence, aux descentes quotidiennes en ville histoire de faire la queue des heures pour deux miches de pain, une demi-livre de beurre et deux litres de lait (puisqu'on est des enfants), toute la campagne a été mise en quarantaine à cause d'un début d'épidémie de variole, ou plutôt un « prétendu début d'épidémie » puisque par les temps qui couraient on ne pouvait plus distinguer le vrai du faux, et que nos seules sources d'information ou presque étaient Osbert et les files d'attente vu que même les voix à la radio rendaient un son étrange ; quand on réussissait à trouver une station on ne savait pas de qui il s'agissait ni si ce que racontaient ces gens était vrai ; il n'y avait plus de journaux et les lignes téléphoniques étaient très souvent coupées.

Quoi qu'il en soit, le résultat de cette prétendue « épidémie » a été qu'on ne pouvait plus du tout sortir dans la rue et que maintenant, de gros camions noirs passaient pour déposer des sacs de nourriture deux fois par semaine au bout de l'allée ; si on avait des demandes particulières, on pouvait les écrire sur un bout de papier.

Pendant un temps on a trouvé ça marrant, on a écrit sur la liste des trucs comme Du chocolat, Des saucisses, Des gâteaux, Du Coca, et puis Piper s'est fâchée sous prétexte que c'était surtout elle qui faisait la cuisine et qu'il y avait des choses dont elle avait vraiment besoin, et que nos bêtises les empêchaient de voir que ce dont on manquait *vraiment*, c'était de farine. De toute façon, « ils » ne faisaient pas du tout attention à ce qu'on mettait, alors. On recevait ce qu'on recevait, un point c'est tout.

Bon, d'accord, il y avait la variole. Mais comme tout allait de pire en pire, petit à petit, à mesure que les jours passaient, et qu'on ne savait pas ce qui était vrai ou non, on trouvait plus facile de prendre la nouvelle comme elle venait, comme le reste, quoi, sans trop s'en faire pour ça.

Pensez-y. On est en mai, au beau milieu de la campagne anglaise, tout le monde dit Ironie du sort, c'est le plus beau mois de mai depuis des années. De mon point de vue ça rend les scénarios catastrophes encore plus difficiles à envisager, surtout quand on a grandi dans la « jungle de béton » comme moi, sauf que j'exagère peut-être un peu parce que pour une jungle, l'Upper West Side est quand même assez chicos, genre rues bordées d'arbres. Cela dit, il ne s'agit que de quelques jolis arbres çà et là alors qu'en Angleterre je baignais dans la fertilité. Et puis, des tonnes de rumeurs nous arrivaient de partout, mais à NOUS, il ne nous arrivait rien de SI GRAVE QUE ÇA.

Pendant ce temps il y a quelque chose comme cent mille roses blanches qui fleurissent toutes en même temps sur le devant de la maison, une vraie folie ; les légumes poussent d'au moins quinze centimètres par jour et les plates-bandes sont tellement bigarrées qu'on ne peut s'empêcher de rester en extase devant et qu'on en a le vertige rien qu'à les regarder. À en croire une des rares déclarations d'Isaac, les oiseaux s'éclatent bien plus depuis l'occupation parce que les voitures ne roulent plus, qu'on ne cultive plus la terre, bref, qu'on ne fait plus rien qui les embête, si bien qu'ils n'ont plus qu'à pondre leurs œufs, chanter et éviter les renards.

Ça commençait à ressembler à du Walt Disney sous ecsta avec tous ces écureuils, ces hérissons et ces biches qui se baladaient partout au milieu des canards, des chiens, des poules, des chèvres et des moutons ; s'il y avait des créatures désorientées par la guerre, c'étaient bien ces bestioles.

Le soir au coucher du soleil Piper, Isaac, Edmond et moi on regardait ces enragés s'activer en tous sens, puis Edmond et moi on s'éclipsait discrètement pour monter dans ma petite chambre, tout en haut de la maison, ou dans le grand grenier où on rangeait plein de trucs, juste sous le faîte du toit, entre autres endroits (des milliers) qu'on avait trouvés pour tenter vainement de nous rassasier l'un de l'autre ; mais on aurait dit qu'une sorcière nous avait jeté un sort : plus on essayait de ne plus avoir faim, plus on était affamés.

C'était la première fois, aussi loin que remonte ma mémoire, que la faim n'était pas chez moi une punition, un crime, une arme ou une manière de m'autodétruire.

C'était, tout simplement, une façon d'être amoureuse.

Parfois j'avais l'impression que des heures avaient passé alors qu'en fait, quelques minutes seulement s'étaient écoulées. Il nous arrivait de nous endormir, et de reprendre les choses où on les avait laissées dès qu'on se réveillait. À certains moments j'avais l'impression de me consumer de l'intérieur comme les gens atteints de cette dégoûtante maladie qui fait qu'on dévore son propre estomac. Il fallait qu'on s'arrête de temps en temps du simple fait qu'on était épuisés et à vif, et toujours cette vibration à laquelle on n'avait plus la force de faire face.

Après on dormait un peu et on finissait par réapparaître et essayer de se comporter normalement, genre aider Piper à chercher du miel dans les ruches ou des pissenlits pour la salade, ou passer quelques heures à désherber le potager. L'ensoleillement exceptionnel faisait que les légumes étaient précoces et par rapport à la situation critique où on était censés se trouver, il y avait beaucoup à manger. Évidemment, vu mes tendances personnelles, maintenant que c'était la guerre et qu'il y avait le rationnement et tout ça, j'étais au paradis des privations, je n'avais plus besoin de savoir mon père en train de s'envoyer Davina dans la chambre à côté pour me faire perdre durablement l'appétit.

Les autres mangeaient des œufs et des légumes verts du jardin, et buvaient du lait de chèvre, plus les flageolets cuisinés qu'on avait stockés, et Piper devenait hyperdouée pour cuisiner à partir des haricots secs, du riz et du bacon qu'on nous distribuait presque toutes les semaines. Le potager commençait à donner des tomates, les haricots proliféraient et tout le monde sauf moi regrettait le pain, qui était de plus en plus difficile à trouver, mais surtout le beurre salé (Edmond en rêvait) même si on fabriquait nous-mêmes un truc qui faisait pas mal l'affaire en fouettant du lait de chèvre.

Un des trucs les plus bizarres qu'on en soit venus à accepter implicitement, c'est que personne ne sache au juste d'où venait la nourriture distribuée. Au début on pensait que c'étaient les autorités locales, mais certains murmuraient que ça devait plutôt être la Croix-Rouge, ou les Américains, tandis que d'autres soupçonnaient l'Ennemi et que des tas de gens refusaient d'y toucher « au cas où ».

Moi j'étais ravie de crever de faim plutôt que de manger ce que préparait Davina en temps de paix mais je n'ai jamais cru qu'on avait essayé de nous empoisonner pendant la guerre. J'ai tenté de manger un peu plus pour qu'Edmond cesse de me regarder d'une certaine manière, et comme au bout d'une semaine il a dit qu'il me trouvait plus jolie, j'ai traduit par « plus grosse » et réduit les rations.

Mais revenons à cette histoire de quarantaine.

D'après ce qu'Osbert avait entendu au pub lors d'une de ses réunions clandestines de gamins qui jouent aux espions, l'Épidémie de Variole n'était qu'une rumeur qu'« ils » avaient sciemment fait courir dans la population pour qu'on se tienne tranquilles, qu'on ait la trouille et qu'on ne se mêle de rien.

Là-dessus, on a entendu dire qu'il y avait des gens qui mouraient.

Edmond a dit que c'était de la rougeole, pas de la variole, et que dans la plupart des cas, en fait, les gens n'en mouraient pas, mais comme il était presque impossible de se procurer des antibiotiques on mourait de maladies assez banales genre pneumonie ou varicelle (les cas graves), ou alors de fractures et des femmes étaient mortes en mettant leur enfant au monde.

On a reçu avec nos colis de nourriture des dépliants qui recommandaient de faire systématiquement bouillir l'eau et ça disait aussi *Prenez des précautions particulières quand vous manipulez des couteaux, des outils ou des armes à feu car les blessures légères peuvent s'infecter et entraîner la mort.* Ce que j'ai trouvé très marrant vu qu'on est prétendument en pleine guerre, et que ça a souvent le même effet.

Je ne savais pas si la nourriture était empoisonnée. Je ne savais pas si on allait attraper une infection et en mourir. Je ne savais pas si une bombe allait nous tomber dessus. Je ne savais pas si Osbert allait nous contaminer avec je ne sais quelles spores mortelles récoltées lors de ses réunions secrètes. Je ne savais pas si on allait être faits prisonniers, torturés, assassinés, violés, contraints d'avouer ou de dénoncer nos amis.

La seule chose dont j'étais certaine, c'était que tout autour de moi il y avait plus de vie que je n'en avais jamais vu pendant toutes mes années de présence sur terre, et que tant qu'on ne m'enfermait pas dans la grange sans Edmond la nuit, j'étais en sécurité.

12

Tandis qu'on continuait à mener notre petite vie bien tranquille faite de rapports sexuels entre mineurs, de travaux forcés avant l'âge aussi et d'espionnage bidon, voilà qu'un jour quelqu'un est venu nous rendre visite ; après des semaines à rester rien qu'entre nous cinq, ça nous a pris au dépourvu et c'est rien de le dire.

C'était un type pas mal de sa personne, environ trente-cinq ans, qui avait l'air trop crevé ne serait-ce que pour feindre la politesse, et nous a dit Excusez-moi de vous déranger mais vous n'auriez pas des substances chimiques ?

On est tous restés là à le regarder bouche bée, et en ce qui me concerne je me suis demandé s'il était en train de monter un réseau de trafic de drogue, une petite affaire pour fourguer de la coke aux gens coincés chez eux sans télé et qui se faisaient suer comme des rats morts à cause de la guerre.

On devait avoir l'air complètement débiles à le dévisager comme ça en se décrochant la mâchoire parce qu'il a ajouté Ce serait peut-être mieux que je voie ça avec vos parents, sur quoi Osbert a pris l'air important comme s'il allait se lancer dans un grand discours, mais finalement a dit Il n'y a que nous ici. Il avait dû renoncer à sa tirade.

Le type a eu l'air surpris et Osbert lui a expliqué, pour tante Penn ; l'autre n'a pas fait de commentaire mais vu sa tête il fallait s'attendre à ce qu'il ne s'en tienne pas là, malgré tout ce dont il avait à s'occuper par ailleurs.

Puis il est revenu à son point de départ pour nous dire Désolé, il faut peut-être que je vous explique, pour les substances chimiques. Je suis le docteur Jameson, et il ne vous a sûrement pas échappé que nous sommes en guerre, alors nous tentons de prendre en charge les habitants de la région.

Comme on ne disait rien, il a continué à parler.

Tous les dispensaires ont fermé. Les hôpitaux tournent en sous-effectifs, ils n'arrivent pas à faire face à l'afflux de blessés en provenance des villes et ont confisqué le stock de tous les pharmaciens, alors les gens du coin qui ont de l'hypertension ou du diabète sont dans une situation difficile. Nous essayons de faire en sorte que ces problèmes ne mettent pas la vie des habitants en danger mais pour ça il nous faut des médicaments. Nous sommes terriblement à court d'antibiotiques et nous demandons à tout le monde de regarder ce qu'il a chez soi. Toutes les substances chimiques peuvent servir.

J'ai regardé Edmond, qui écoutait comme les gens qui tendent l'oreille quand ils n'arrivent pas bien à entendre, et j'ai su qu'il essayait de capter un éventuel non-dit. Mais Osbert a répondu D'accord, on va aller regarder en haut, et comme Edmond est allé avec les autres fouiller dans les tiroirs je suppose que ce qu'il a entendu ne posait pas de problème.

Je reste donc toute seule avec le docteur Jameson, et tandis qu'il me détaille de la tête aux pieds je me rends compte que pendant tout ce temps je me suis vraiment éclatée ici, en Angleterre, loin des médecins, et que c'est vraiment dommage que ça doive s'arrêter ; après un silence, il me dit Ça fait longtemps que ça dure ? Et je sais très bien que ce n'est pas de la guerre qu'il parle. J'espère qu'il ne fait pas allusion à Edmond et moi. Alors je réponds Quoi ? comme si je ne voyais pas du tout de quoi il veut parler.

Mais au lieu de me faire la leçon en m'appelant Ma petite demoiselle et toutes les âneries habituelles, il me regarde avec quelque chose comme de la tristesse dans les yeux et, l'air toujours aussi las, me dit avec douceur Vous ne trouvez pas qu'il y a assez de misère comme ça dans le monde ?

Et pour une fois, je reste sans réponse.

Edmond, Isaac, Osbert et Piper finissent par redescendre avec un paquet de boîtes de médicaments à moitié vides parce que tante Penn n'aime pas jeter, le médecin les regarde en souriant avec la même lassitude et nous dit Merci avant de nous regarder tous plantés là en attendant qu'il s'en aille ; il se tait une seconde, puis il demande enfin Est-ce qu'il vous manque quelque chose d'important ?

On comprend tous ce qu'il veut dire, et moi j'ai envie de crier NON, surtout pas de PARENTS DE SUBSTITUTION FOURNIS PAR L'ÉTAT, MERCI BEAUCOUP mais je la boucle, les autres aussi, alors il pousse un soupir empreint de lassitude et s'en va.

13

Quelque chose a imperceptiblement changé dans l'air après la visite de ce médecin.

On ne pouvait pas vraiment mettre le doigt dessus mais s'il fallait que je hasarde une description, je dirais que jusque-là on comptait sur une espèce de magie pour nous protéger du monde extérieur, et que tout à coup, cette magie nous a paru trop fragile pour opérer indéfiniment.

Ce soir-là tout le monde a parlé moins que d'habitude. Piper et moi on s'est tassées dans un des grands fauteuils pour lire *Flashman* ensemble, il était tard mais il faisait encore assez jour pour lire avec le secours d'une ou deux bougies, toutes les portes et fenêtres étaient ouvertes pour laisser entrer l'air tiède qui charriait le parfum du chèvrefeuille, les chiens sommeillaient près de nous, et tout à coup Piper a levé les yeux et m'a demandé Tu es amoureuse d'Edmond ?

J'ai réfléchi quelques secondes à la meilleure réponse à lui faire, puis j'ai simplement dit Oui.

Elle m'a gratifiée du regard qu'ils ont tous dans la famille, le genre que les autres gens évitent car on pourrait trouver malpoli de sentir ses pensées envahies de force, sans autorisation, puis elle a répliqué Eh ben, je suis bien contente, parce que moi aussi.

Les larmes me sont montées aux yeux et je n'ai pas pu les en empêcher. Je l'ai prise dans mes bras et on est restées assises là, avec mes larmes qui lui coulaient dans les cheveux, la nuit qui s'assombrissait peu à peu et sa douceur tout autour de nous.

Elle m'a demandé si elle pouvait dormir avec moi cette nuit-là et j'ai dit oui ; on est montées, on s'est couchées l'une contre l'autre dans mon petit lit étroit et je me suis demandé si sa mère lui manquait vraiment trop ; puis au milieu de la nuit Edmond est arrivé en disant qu'il se sentait seul, alors il s'est couché avec nous mais dans l'autre sens sinon il n'y avait pas la place et au lever du jour c'est Isaac qui a débarqué en se demandant où étaient passés les autres ; quand il nous a vus il s'est contenté de faire un petit sourire, de descendre à la cuisine et de remonter avec la grosse théière et des tasses sur un plateau, et on s'est tous serrés sur le lit comme des chiots pour boire le thé tandis que le soleil entrait à flots épais et dorés par la fenêtre.

C'est Edmond, avec son sixième sens bizarre pour les choses qui ne se sont pas encore produites, qui a su qu'il fallait faire quelque chose pour que ce jour précis ne soit pas comme les autres ; il a dit Il va faire chaud, si on allait se baigner dans la rivière ?

Alors on a pris les serviettes et les couvertures, Piper a préparé un pique-nique dans un panier, on a mis nos chaussures, on a enlevé les shorts et les tee-shirts qu'on portait depuis des semaines pour en mettre des propres, Isaac a appelé les chiens, Piper est allée chercher Ding dans la grange et on s'est mis en route avec l'impression de sécher l'école, ce qui est peut-être bizarre, mais c'est comme ça.

Quand on montait par le sentier et qu'on continuait longtemps après la grange d'agnelage en longeant cinq ou six champs successifs, au bout d'une heure avec pour seule compagnie le *ding-ding* de la clochette de Ding, on arrivait à une rivière. Edmond a dit qu'elle n'était pas aussi bien pour la pêche que l'endroit où on était allés en voiture le premier jour, mais mieux pour nager parce que plus profonde. En plus elle bordait la plus belle prairie du monde, tellement débordante de coquelicots, de boutons d'or, de marguerites et de roses sauvages, sans parler des centaines d'autres fleurs que je ne connaissais pas, qu'on aurait dit un blizzard de couleurs.

À côté de la rivière, il y avait un très vieux pommier qui commençait à perdre ses fleurs. Piper et moi on a étalé les couvertures dessous, moitié à l'ombre et moitié au soleil, puis on s'est assises au frais pendant que les garçons se débarrassaient presto de leurs vêtements et sautaient en poussant de grands cris dans l'eau glacée avant de nous éclabousser et de nous dire de venir les rejoindre, « sinon... ». Pour finir on en a eu marre et on s'est dit Après tout, pourquoi pas ? Piper s'est mise toute nue, j'ai enlevé mon jean et on est entrées dans l'eau en se tenant par la main, en poussant de petits hurlements et en faisant des bonds sur place tellement c'était froid.

Comme on dit toujours, Elle est bonne une fois qu'on y est.

La fraîcheur de l'eau alliée à la chaleur du soleil et à l'impression que la rivière me coulait naturellement sur la peau comme chez les dauphins formaient une sensation que je n'aurais pas eu de mots pour décrire, mais elle fait partie des choses qu'on n'oublie plus jamais.

J'ai eu froid avant les autres, qui faisaient la course ou s'asseyaient sur un rocher de la berge comme des tortues pour s'imprégner de soleil avant de sauter à nouveau à l'eau ; alors je suis sortie, je me suis laissé tomber sur une couverture et j'ai attendu patiemment que la chaleur calme mes frissons et me réchauffe peu à peu le sang de la tête aux pieds, puis j'ai simplement fermé les yeux ou regardé tomber les pétales de fleurs de pommier en écoutant le bourdonnement grave et pesant des grosses abeilles lestées de pollen en essayant d'imaginer que je me fondais dans la terre pour pouvoir passer l'éternité sous cet arbre.

Puis Edmond et Piper sont sortis de l'eau à leur tour ; Edmond a remis son jean et ils se sont mis à me poser tour à tour leurs mains froides sur le ventre pendant que je feignais de ne rien sentir et qu'Osbert et Isaac faisaient la planche dans la rivière en compagnie des chiens ; Isaac fredonnait une mélodie et Osbert rajoutait l'harmonie sans ouvrir la bouche, mais plutôt faux, et ça faisait plaisir qu'Osbert s'intègre à la bande, pour une fois, au lieu d'être toujours le mec qui a mieux à faire.

Edmond s'est allongé à quelques centimètres de moi sous la couverture, il a allumé une cigarette et fermé les yeux, et au bout d'un moment j'ai senti la chaleur de son corps irradier jusque dans le mien ; quand Piper est arrivée les mains pleines de pétales et qu'elle les a lancés en l'air pour qu'ils nous retombent dessus, Edmond a ri et demandé Pourquoi t'as fait ça ? Elle a fait son sourire solennel et répondu Pour l'amour.

Puis les derniers sont sortis de l'eau et pendant des heures on est restés sous l'arbre à discuter, lire... De temps en temps l'un d'entre nous se levait pour aller lancer un bâton aux chiens ou alors Piper jouait avec Ding en fabriquant de petites guirlandes de coquelicots et de pâquerettes pour décorer ses petites cornes, ou alors Isaac discutait en sifflotant avec un rouge-gorge tandis qu'Edmond restait là à fumer tout en me disant qu'il m'aimait sans prononcer un mot à voix haute, et il y a peut-être eu une journée plus heureuse que celle-là dans toute l'histoire de l'humanité mais en tout cas, moi, je n'en ai pas connaissance.

Ce soir-là le soleil a attendu plus longtemps que d'habitude pour se coucher, on remettait sans cesse le moment de s'en aller ; les garçons et les chiens sont repartis à l'eau et on a fini par rentrer presque dans le noir, crevés et trop heureux pour parler.

Il devait bien y avoir une guerre qui se déroulait quelque part dans le monde mais en tout cas nous, elle ne nous atteignait pas.

14

Quelques jours après on a eu un autre visiteur, mais cette fois en uniforme de l'armée britannique et accompagné d'une ordonnance qui prenait des notes et cochait des cases sur une liste. Il n'a pas paru s'en faire outre mesure qu'on vive là sans adultes mais je l'ai vu glisser un coup d'œil à la cigarette d'Edmond et je me suis dit Toi mon vieux, si tu continues à fourrer ton nez dans nos affaires t'as intérêt à être plus précis quant à ce qui te plaît et ce qui te déplaît, sur quoi Edmond m'a lancé un coup d'œil genre « fais gaffe à ce que tu dis », sauf que ç'aurait plutôt dû être « fais gaffe à ce que tu penses » en présence de ce type.

Ce dernier a regardé dans tous les coins et posé beaucoup de questions du style Combien de pièces il y a chez vous, Est-ce qu'il y a des fuites dans le toit, Combien de dépendances, Qui est déjà passé vous voir, et j'ai remarqué qu'Edmond répondait à la question sur les dépendances sans parler de la grange d'agnelage. Là-dessus monsieur Armée de Métier et son Vendredi sont partis en reconnaissance sur les terres de la ferme et quand ils sont revenus ils ont dit Ce sera parfait et là, je n'ai pas DU TOUT aimé.

Il s'est avéré qu'on était « réquisitionnés », et là il a fallu m'expliquer vu que je n'ai pas tellement l'habitude qu'on prenne leur maison aux gens et qu'on les envoie je ne sais où « jusqu'à nouvel ordre » ; je n'arrêtais pas de me dire que ça ne pourrait jamais arriver en Amérique mais si ça se trouve les bérets verts étaient déjà cantonnés dans les grands magasins de New York, chez Bloomingdale's, par exemple.

Osbert était tellement désireux de rendre service que c'était tout juste s'il ne se mettait pas au garde-à-vous mais pour une fois il m'a fait de la peine parce que de toute façon, on allait devoir obéir, point final, c'était évident, et peut-être qu'il essayait seulement de nous protéger en se montrant « respectueux ». Moi je m'en suis tenue à ce que je savais faire le mieux, c'est-à-dire la gueule ou peu s'en faut, et quand j'ai jeté un coup d'œil à Edmond je lui ai trouvé l'air très triste ; mais en voyant que je le regardais, il a souri.

Osbert a été le seul à oser formuler la question qu'on se posait tous, à savoir Et nous, qu'est-ce qu'on va devenir ? Le militaire nous a regardés d'un air absent qui nous a bien renseignés sur l'importance de notre sort à leurs yeux, alors on s'est peu à peu éloignés tous ensemble, en masse, un peu blottis les uns contre les autres, comme si on manquait d'air, aucun d'entre nous ne voulant quitter les autres des yeux.

Naturellement, à ce stade il ne m'était pas venu à l'esprit qu'on puisse nous séparer, mais vous en connaissez, vous, des gens prêts à prendre cinq jeunes chez eux, même en cas de guerre, surtout des jeunes comme nous qui ne rappellent ni de près ni de loin les *Quatre Filles du docteur March* ?

Le militaire s'en est allé en disant qu'il reviendrait le lendemain ; on est restés plantés là, assommés, comme si on avait pris un obus sur la tête, si vous me pardonnez l'expression, et muets – au cas où on dirait à voix haute un truc qui se révélerait vrai.

J'ai passé la première partie de la nuit au lit avec Piper et en attendant qu'elle s'endorme dans mes bras je me suis demandé si c'était la faute du docteur Jameson, tout ça – quand même, c'était une drôle de coïncidence de recevoir deux visites dans la semaine alors qu'on n'avait vu personne depuis un bail. Au bout d'une heure environ, sûre que Piper était bien calme et bien en sécurité, je me suis éclipsée pour aller rejoindre Edmond et on s'est dit encore moins de choses que d'habitude ; on s'est juste imbriqués l'un dans l'autre pour trouver un peu de réconfort et d'oubli et on s'est endormis comme ça, enveloppés dans d'épaisses couvertures en laine de mouton noir, et on a fait le même rêve où il ne restait plus personne sur terre à part nous.

15

Dans toutes les guerres il y a un tournant, un point de non-retour, et pour les gens c'est pareil.

D'abord c'est Osbert qui est parti dans le camion du militaire, et revenu radieux et enrôlé ; toutes ces heures à apprendre le morse et à jouer aux espions n'avaient donc pas été inutiles. J'aurais été heureuse pour lui s'il ne m'était pas apparu de manière évidente que nous, on avait été par la même occasion rétrogradés au rang de « civils non indispensables », donc beaucoup moins intéressants pour lui. Je crois qu'à sa manière il se sentait quand même responsable de nous, mais on était assez bas dans sa « liste de priorités », sa principale mission étant de sauver le monde.

À midi la maison a commencé à se remplir de soldats en tous genres qu'on était scandalisés de voir ranger leurs affaires dans NOS chambres à nous, installer du matériel radio dans la grange et faire sortir les animaux sans même demander la permission ; puis on a décrété que la plus belle preuve de courage était la discrétion et qui si on ne se montrait pas trop ils n'en concluraient pas qu'on était le type de jeunes à « placer ailleurs ».

On est allés jusqu'à les inviter à déjeuner (je suis sûre que c'est ce qu'ont fait les collabos avec les nazis, en France, pendant la Seconde Guerre mondiale, pour s'attirer leurs bonnes grâces), et je me suis sentie dans la peau d'une lamentable renégate servile même si on était censés être du même bord, eux et nous. Cela dit, ils nous ont répondu Non merci, on a apporté notre mess, et comme je ne connaissais pas le mot j'ai trouvé bizarre de confondre la bouffe et la messe. Piper a dit que leur nourriture était meilleure que la nôtre, ce qui ne m'a pas beaucoup étonnée vu qu'on avait atteint les limites de ce qu'on peut faire en matière de repas corrects avec du riz pour unique ingrédient, et qu'eux mangeaient du poulet et des quenelles.

Au moment où Piper, Isaac, Edmond et moi, tout en se « faisant discrets », on se demandait si on n'avait pas intérêt à partir s'installer dans la grande d'agnelage, histoire de se faire encore plus discrets, Osbert est venu nous trouver l'air coupable, Piper et moi, et nous a dit d'emballer quelques affaires parce qu'on allait être relogées ; je l'ai regardé en hurlant qu'il n'était PAS QUESTION d'être expédiée dans un CENTRE DE RÉFUGIÉS au FIN FOND DE NULLE PART surtout par TOI alors Osbert a regardé par terre, l'air accablé, en disant Les ordres sont les ordres et j'ai pensé Heureusement qu'ils n'ont pas donné l'ordre de nous abattre.

Le regard de Piper allait sans cesse de son frère à moi,

on aurait dit un petit rat pris au piège ; puis Edmond m'a posé une main sur l'épaule juste comme je me disais que si je filais une bonne baffe à Osbert ça l'aiderait à comprendre que je ne plaisantais pas, et m'a dit avec une douceur infinie Ne t'en fais pas. J'ai répliqué JE NE M'EN FAIS PAS vu qu'il n'est PAS QUESTION QUE JE M'EN AILLE. En contemplant leurs visages affligés je me suis demandé si c'était un phénomène culturel ou quoi que dans ce pays personne ne moufte, personne ne dise Mais vous déconnez ou quoi ? quand on leur ordonnait d'évacuer leur propre domicile et d'abandonner des parents proches dont ils venaient à peine de faire la connaissance, tout ça de la part de bidasses de seconde zone, des parvenus qui jouaient à la guéguerre pour s'amuser.

Osbert a filé comme un serpent minable et j'ai pensé que c'était la fin, puis cinq minutes plus tard un type qui se prétendait lieutenant de je ne sais quoi est venu dire qu'il était « terriblement désolé » d'un air pas désolé du tout, et derrière tout ça la vérité c'était qu'on était virés de chez nous que ça nous plaise ou non. Il m'a bien fait comprendre que l'armée n'était pas d'humeur à supporter qu'une « jeune citoyenne américaine pique sa crise à un tournant aussi vital de l'histoire » alors j'ai entraîné Piper et on est montées emballer tout ce qu'on pouvait pour une semaine, y compris des bouquins au cas où on se retrouverait isolés au milieu de péquenauds, et je ne pouvais rien faire d'autre que regarder Edmond et Isaac et même Osbert en retenant mes larmes, puis Edmond m'a embrassée en me disant

Emporte Jet de telle manière que seul Isaac aurait pu l'entendre et encore, et j'ai répondu Je te retrouverai, et il a hoché la tête comme pour dire Moi pareil.

Le chauffeur n'était pas très chaud pour que je trimballe un chien mais comme je suis restée intraitable il a fini par lever les yeux au ciel et dire Allez, montez, sur quoi on a laissé là tout ce qu'il me restait au monde ou presque, trois êtres bien tristes, bien jeunes et bien impuissants, et on s'en est allées Piper et moi.

Vu comment les choses ont tourné par la suite vous vous demanderez peut-être pourquoi on n'a pas fait une scène pour rester tous ensemble mais sur le moment on a cru qu'on pourrait survivre séparés l'espace d'une semaine ou deux.

C'est dire à quel point on était dans le noir complet quant à notre situation.

Quoi qu'il en soit, on s'est tassées dans le camion ouvert à l'arrière, et quand on a démarré j'ai pensé à Ding mais je n'ai rien dit pour ne pas inquiéter encore plus Piper et j'ai mentalement rassemblé mes forces parce que j'étais censée veiller sur elle maintenant, et qu'il valait mieux me comporter en conséquence, bien lui faire sentir qu'avec moi elle ne risquait rien ; cette idée m'a rendue farouche et solide comme une maman bête sauvage qui protège ses petits et tout à coup j'ai compris comment les gens trouvent la force de soulever une voiture quand un enfant est pris sous les roues, ce qui jusque-là m'avait toujours paru complètement bidon.

Je lui ai pris la main en lui faisant le sourire le plus brave de ma vie, et même s'il n'était pas à 100 % sain d'esprit, il était pour de vrai, ce sourire ; et ça a marché car elle me l'a rendu, elle a serré Jet dans ses bras et, tranquillement, elle s'est mise à chanter tout bas sa chanson d'ange.

On a roulé longtemps ; j'essayais de suivre les panneaux indicateurs pour savoir où on allait mais j'étais désorientée et tout ce que j'ai réussi à faire c'est mémoriser les noms des villages qu'on traversait dans l'espoir que je m'en rappellerais.

J'ai trouvé un moyen mnémotechnique, comme à l'école dans le temps, mais c'était dur parce qu'il fallait sans cesse ajouter des mots à mesure qu'on avançait et que les gens qui avaient baptisé ces bourgs n'obéissaient manifestement à aucune logique.

On est passés comme ça par Upper Ellaston, Deddon, Wincaster, New Northfield, Broom Hill, Norton Walton... après quoi j'ai renoncé à tout retenir, je me suis contentée de bien regarder les noms en espérant qu'un jour ils me reviendraient en tête si j'en avais besoin.

J'avais les boules contre toutes les séries télé d'espionnage où on voit des types avec un bandeau sur les yeux se faire jeter à l'arrière d'une bagnole et réussir quand même à retrouver leur chemin à cause d'un gloussement de poule par-ci ou de deux bosses sur la route par-là, quand ce n'est pas un chien qui aboie en clef de sol, car je suis bien placée pour vous dire maintenant que ce sont des conneries, surprise surprise.

Ce qui me faisait la plus forte impression, c'était souvent les choses que je trouvais presque normales mais pas tout à fait.

Par exemple, il n'y avait personne dehors malgré le beau temps, on ne voyait pas d'enfants sur les terrains de jeux ou en vélo dans les rues, rien ; aucune voiture sur les routes mais beaucoup abandonnées sur le bas-côté, là où elles étaient tombées en panne d'essence, et il m'a fallu un bout de temps pour saisir « ce qui clochait dans le tableau ».

Il y avait d'autres choses que je reconnaissais pour les avoir vues dans notre village à nous, les boutiques aux vitrines cassées ou barrées par des planches, par exemple, comme les fenêtres de pas mal de maisons, sans doute en prévision du jour où les hordes de pillards déferleraient sur la cambrousse dans l'intention de violer les ménagères et de piquer la parure canapé-fauteuil du salon.

Et puis de temps à autre on voyait des chars. En général ils étaient juste garés en bord de route, un bras ou une tête dépassant en haut avec une clope ou un fusil. Dans certains villages il y en avait un paquet et puis on n'en voyait plus un seul pendant un bon bout de temps.

Tous les trois-quatre kilomètres on franchissait un *check point* où notre chauffeur devait s'arrêter et montrer ses papiers à un tas de types armés de mitraillettes qui ne parlaient pas super-bien anglais, je me suis dit Mais alors... Il y a bel et bien un Ennemi, finalement ! Ils avaient plus l'air assommés d'ennui que dangereux, notre Militaire à nous était très poli avec leur Militaire à eux et moi je me disais Je fais bien de ne pas perdre mon temps à essayer de comprendre cette histoire de guerre, là, parce que si vous voulez mon avis ces mecs ne sont pas très concernés non plus.

On a roulé presque une heure sur de toutes petites routes de campagne sinueuses et même si je ne suis pas très bonne pour évaluer les distances sauf à Manhattan en comptant en « blocs », j'ai pensé qu'en tout on avait dû faire vingt ou trente kilomètres quand on est arrivés, vu que la vitesse divisée par le temps = quatre oiseaux dans un arbre qui chantent *Au clair de la lune*.

L'endroit était un tout petit peu mieux que dans mes pires craintes, et dans ces conditions c'est le genre de chose dont on doit se féliciter ; une fois descendues tant bien que mal du camion avec nos affaires on a été présentées à une certaine Mme McEvoy, qui vivait avec son soldat de mari dans une maison en brique assez récente à la sortie d'un village appelé Reston Bridge ; la première impression n'est pas toujours la bonne mais elle ne m'a pas fait l'effet d'une femme capable de nous couper en petits morceaux et de nous donner à manger à ses chiens si la situation s'aggravait. Cela dit, il m'arrive de me tromper.

À propos de chiens, on voyait bien qu'elle ne s'attendait pas vraiment à ce qu'on amène le nôtre, mais elle l'a plutôt bien pris alors que Jet est allé droit sur son joli petit cocker doré et a aussitôt essayé de se le faire.

Il y avait aussi un gamin de quatre ans baptisé Albert

et surnommé Alby, et à en juger par la chambre où elle nous a mises on comprenait qu'il y avait un autre fils dans la famille mais qu'il n'était pas là alors on nous donnait sa piaule. On a déballé nos sacs et Mme McEvoy est venue nous dire qu'il fallait l'appeler Jane, que son mari était « parti pour le front », qu'ils avaient entendu parler de notre « triste sort » et qu'ils s'étaient dit que c'était vraiment « dommage » d'avoir « une chambre en parfait état qui ne servait à rien » alors qu'il y avait de « pauvres enfants comme nous » sans personne pour veiller sur eux ; j'ai dû plisser les yeux et penser à Piper pour empêcher mon sourire bidon de virer à la grimace de Jason dans *Vendredi 13*.

Mais quand j'ai rouvert les yeux pour la regarder à nouveau j'ai bien vu que sous toutes ses banalités enjouées elle semblait désespérément triste et que son visage était tout marbré comme si elle avait beaucoup pleuré récemment, alors je me suis dit Dans cette guerre bizarroïde tout le monde a son histoire perso et la sienne est probablement aussi tragique que les autres sinon bien pire.

L'approche compatissante qu'elle avait choisie a commencé à sonner un peu forcé quand elle a dit que Piper était vraiment adorable et qu'elle aimait beaucoup l'accent américain mais au bout d'un moment je me suis habituée à elle en me disant qu'au moins elle s'efforçait d'être sympa et ça, même moi, je dois admettre que c'est pas rien.

Après avoir bu notre thé on lui a demandé si ça ne

la dérangeait pas qu'on monte lire un peu dans notre chambre parce qu'on était fatiguées par le voyage, voire par la guerre en général, alors on est allées s'allonger sur nos lits jumeaux sous nos posters représentant des voitures de course, plus une vingtaine de starlettes adolescentes à moitié à poil (dont on voyait donc la cellulite) et je me suis dit Cette chambre a dû abriter pas mal de scènes genre Lyle Hershberg et son ami le Schtroumpf.

Piper a voulu savoir si c'était là qu'on allait habiter maintenant et j'ai que oui, pour l'instant, mais qu'une fois installées on dresserait des plans pour partir retrouver Edmond et Isaac alors elle a eu l'air un peu plus gai, mais on voyait bien qu'elle faisait un effort pour que je ne me fasse pas trop de souci ; elle a ajouté Tu as vraiment atterri dans un drôle d'endroit, hein, cousine Daisy ? J'ai répondu Tu veux dire Reston Bridge ? Mais elle a dit Non, ici, en Angleterre, avec moi.

Alors je l'ai regardée droit dans les yeux, avec une intensité telle que je voyais presque de l'autre côté de sa tête, et qu'on ne vienne pas me dire que je ne suis pas du même sang que cette bande de télépathes ; je lui ai dit PIPER, pour que je pense une seconde qu'on n'est pas bien avec toi quel que soit l'endroit, il faudrait d'abord qu'on m'enterre vivante dans un fossé et qu'on me fasse piétiner par une horde d'éléphants, et encore, ALORS...

Là-dessus Jane McEvoy nous a appelées pour manger et on a descendu l'escalier comme des petites filles bien élevées qui font plaisir à leurs parents ; on s'est regardées et on a éclaté de rire parce qu'on s'était drôlement bien habituées à vivre dans un monde sans adultes.

Au fond de moi je me demandais si ces gens allaient s'occuper de nous ou si on était toujours livrées à nous-mêmes mais sous une forme un peu différente.

16

Quand le major McEvoy est rentré ce soir-là je l'ai abordé à la seconde même où il a passé la porte pour exiger qu'il nous dise si Edmond et Isaac avaient été déplacés, et si oui où.

D'abord il en est resté comme deux ronds de flan – il avait peut-être oublié qu'il avait une fille de quinze ans – puis, avec un petit sourire, il a dit Je ne crois pas que nous ayons été présentés, je m'appelle Lawrence McEvoy ; j'ai pensé OK, moi aussi je peux jouer à être polie et j'ai répondu très gentiment, comme la jeune fille bien élevée que je suis Et moi C'EST DAISY et JE VEUX SAVOIR OÙ SONT MES COUSINS.

Il m'a adressé le même petit sourire en me dévisageant un moment d'un air scrutateur, sans doute pour se demander si je prévoyais de renverser le gouvernement grâce aux informations que je cherchais à lui soutirer, puis quand il s'est visiblement rappelé que je n'étais qu'une gamine toute seule en pleine guerre et qu'on était plus ou moins du même bord lui et moi, il s'est un peu détendu et m'a dit Ils ont été relogés aussi, dans une ferme à la sortie de Kingly, c'est-à-dire « assez loin d'ici vers l'est », mais je suis bien sûr que tu les reverras « en temps voulu ».

Prise au dépourvu par sa bonne volonté (je m'étais habituée à la routine « Nom, grade et matricule ? ») je n'ai pas su quoi rétorquer ; tout ce qui me venait à l'esprit c'était Montrez-moi exactement où ça se trouve sur la carte et filez-moi les clefs de la voiture au cas où on déciderait d'aller leur rendre une petite visite en pleine nuit et de ne jamais revenir.

On ne me rend pas assez hommage dans la vie pour toutes les choses que je réussis à ne *pas* dire.

Évidemment, pour survivre il nous fallait un plan, à Piper et moi, et c'était à moi de le trouver parce qu'elle, son rôle, c'était de jouer les Créatures Mystiques, et moi je devais être la fille pragmatique ; c'était comme ça et inutile d'envisager les choses autrement.

Le plan n° 1, qu'on n'avait même pas besoin d'évoquer, c'était de retrouver Edmond, Isaac et Osbert par tous les moyens. Pour l'instant, les détails restaient un peu nébuleux.

Cela dit, j'ai quand même réussi à mettre la main sur une carte routière des îles Britanniques qui traînait par là dans la maison, et où j'ai repéré Kingly et Reston Bridge. Le brave major ne nous avait pas raconté de craques : Kingly était plein est par rapport à nous et pas très loin de la maison réquisitionnée de tante Penn ; un peu loin de Reston Bridge, malheureusement, vu les difficultés actuelles pour trouver un taxi.

Mais la très, très bonne nouvelle c'était que notre rivière, celle où on était allés se baigner et pêcher près de chez nous, était un affluent de celle qu'enjambait le pont de Reston Bridge, ce qui était bien pratique.

Il vaut mieux avouer tout de suite que les cartes et les plans, ce n'est pas mon fort. Alors j'ai fait ce que tout New-Yorkais sensé fait depuis des années dans les bibliothèques publiques : j'ai déchiré la page et je l'ai cachée dans ma culotte. Et je l'ai gardée en permanence sur moi, « au cas où ».

Ce soir-là on est allées se coucher de bonne heure et les autres soirs aussi d'ailleurs car sans électricité, et comme même les bougies commençaient à se faire rares, on ne voyait pas bien l'intérêt de rester assises dans le noir. Ça ne me plaisait pas tellement de dormir dans la chambre de ce type, avec ses pétasses sur les murs, et je savais bien que Piper n'appréciait pas tellement non plus, sans parler du fait qu'elle était séparée de ses frères.

Avant de s'endormir, elle a dit Daisy...

Oui ? j'ai répondu.

J'ai toujours voulu avoir une sœur, et si j'en avais une je voudrais que ce soit toi.

Un silence.

Mais j'ai toujours pensé qu'elle s'appellerait Amy.

J'ai ri un peu et dit que ça ne me dérangeait pas si elle voulait m'appeler Amy mais elle a eu l'air blessé alors j'ai cessé de plaisanter et ajouté Je suis pratiquement ta sœur maintenant ; elle a paru se satisfaire de ça et n'en a plus reparlé.

Je ne lui ai pas dit que moi, par contre, je n'avais jamais eu envie d'avoir une sœur, ni qu'en fait, pour dire la vérité, j'avais passé le plus clair de mon temps, ces derniers mois, à refuser DÉSESPÉRÉMENT d'avoir une sœur, mais c'était seulement à cause des circonstances dans lesquelles j'étais sans doute appelée à en avoir une, et de toute façon je n'avais jamais imaginé qu'on puisse aimer quelqu'un autant que j'aimais Piper – encore que, en réfléchissant bien, c'est peut-être parce qu'elle est absolument unique en son genre Ici-Bas.

Elle m'a demandé ce qu'on allait devenir et je lui ai dit que je n'en savais vraiment rien mais qu'il ne pouvait rien nous arriver tant qu'on était ensemble. Je lui ai demandé Tu sais ce que ça veut dire, invincible ? Elle a fait oui de la tête vu qu'à neuf ans elle a sans doute lu plus de livres que la plupart des gens durant leur vie entière. Alors j'ai ajouté Eh bien, tant qu'on reste ensemble, on est invincibles.

Elle a dit d'une petite voix mal assurée Maman doit se faire beaucoup de souci pour nous, et dans le silence qui a suivi j'ai senti quelque chose de tellement triste que je suis allée m'asseoir à côté d'elle au bord de son lit pour lui caresser les cheveux longtemps en essayant de ne pas me demander où était tante Penn et si elle était encore en vie. Il fallait reconnaître que Piper n'avait pas tort : si j'étais leur mère, guerre ou pas, je serais à moitié morte d'inquiétude si j'ignorais totalement comment s'en sortent mes enfants, voire s'ils sont encore de ce monde.

Piper a fini par se calmer, et pensant qu'elle dormait je suis retournée dans mon lit histoire de réfléchir un peu de mon côté pendant un petit moment.

Maintenant que j'étais loin d'Edmond je pouvais penser « en privé » à tous les changements qui se bousculaient dans ma vie, et entre autres, je me suis dit que quand on aime quelqu'un plus que soi-même l'idée peu rassurante d'être prise dans une guerre avec le risque d'y rester passait après le désir de sauver la vie de ce quelqu'un.

Ces pensées étaient compliquées par le fait que mon affection pour Piper était de nature protectrice et mon amour pour Edmond d'une nature légèrement différente, et ce n'est pas peu dire ; et vu que j'avais à peu près autant d'expérience en matière de sexe et de petits copains qu'en matière de frères et sœurs, ça faisait tout drôle de se retrouver submergée d'attention par une telle marée de gens surnaturels, qui plus est mal insérés dans la société.

Pour ne rien arranger je commençais aussi à me sentir responsable de leur bonheur et de leur bien-être, et à paniquer à l'idée qu'ils pouvaient se faire capturer ou abîmer par le monde extérieur. Ça changeait radicalement de notre point de départ, quand c'étaient eux qui m'apportaient des tasses de thé et me tenaient la main, mais je n'aurais pas su dire à quel moment le basculement s'était produit.

J'en avais la tête qui tournait à force d'essayer d'y voir clair et j'aurais bien voulu avoir quelqu'un à qui en parler vu que je n'avais jamais rien lu là-dessus dans les magazines qu'on achetait Leah et moi (donc, soit c'était moi l'anormale, soit c'était le reste de la population).

Mais pour une fois mon destin m'apparaissait très clairement, il était indissolublement lié à celui d'Edmond, de Piper, d'Isaac et même d'Osbert, c'était comme ça et pas autrement, aussi j'étais obligée de me comporter en fonction de ce que la situation exigeait de moi.

Du coup je me sentais moins désespérée qu'avant et si je me tenais bien tranquille j'entendais Edmond penser à moi là où il était, je pensais à lui en retour et le lien entre nous se rétablissait.

La différence entre Gin et moi, je crois, c'est que le jour où on l'a enfermée dans la grange elle a cru qu'Edmond ne l'aimait plus ; moi, je sentais sa présence quelque part, je savais qu'il m'aimait toujours – ce qui me dispensait de hurler à la mort toute la nuit. En pensant à Edmond de cette façon-là j'ai trouvé tout à coup mon lit à une place bien trop grand alors je suis allée me glisser dans celui de Piper, qui n'a même pas bougé tellement elle y était habituée maintenant ; j'entendais Jet respirer doucement sous le lit.

C'est ainsi que je me suis endormie, avec à portée de main tout ce qu'il me restait au monde.

17

Piper et moi vivions chez les McEvoy comme des gens qui se coulent dans une existence d'emprunt.

Comme on faisait à présent partie d'une famille de militaires, on en savait beaucoup plus sur ce qui se passait dans toute l'Angleterre, et d'ailleurs, pour l'essentiel on s'en serait bien passées vu la nature pas super-réjouissante de l'actualité.

On a passé deux ou trois jours à glaner des informations auprès de Jane McEvoy, qui aimait bien parler et se sentait un peu seule, surtout depuis que son fils était parti en pension dans le Nord et qu'on était sans nouvelles de lui depuis les premières bombes ; elle avait très peur qu'il lui soit arrivé quelque chose, ce qui d'ailleurs me paraissait fort probable.

Un soir tard, en descendant chercher un verre d'eau je l'ai entendue discuter dans la cuisine avec le major ; il lui disait que leur fils était sain et sauf, il en était sûr, et qu'« on sera bientôt tous réunis, dès que cette sale histoire sera finie ». Il s'exprimait d'une voix extraordinairement calme et rassurante mais j'entendais de temps en temps une espèce de hoquet rauque, comme le cri d'un animal qui meurt étranglé par un piège à nœud coulant, et quand j'ai glissé un œil par l'entrebâillement de la porte j'ai vu Jane qui tremblait de la tête aux pieds ; il la serrait dans ses bras, l'air exténué, et lui donnait de petites tapes dans le dos en répétant Chut, chut ma chérie. J'ai décidé que ce soir-là je pourrais survivre sans verre d'eau.

Le lendemain elle avait les yeux rouges mais sinon elle semblait normale, et histoire de nous faire la conversation elle nous a dit qu'elle était très fière de son mari, dont une des grandes missions était de mettre sur pied un hôpital de campagne pour les gens du coin car les vrais hôpitaux avaient été réquisitionnés pour soigner ceux qui avaient été bombardés, intoxiqués ou gazés à Londres. On les envoyait ici quand les hôpitaux de la ville n'avaient plus de place.

Elle a ajouté que comme les gens de la campagne mouraient seulement de l'appendicite, des accouchements difficiles ou de « maladies préexistantes » l'hôpital de campagne devait les prendre en charge pendant que les « cas plus intéressants » – les « blessés de guerre » –, eux, avaient droit à des hôpitaux avec de vrais murs et de vrais lits.

Au début, a-t-elle poursuivi, j'allais à l'hôpital tous les jours. Je faisais la lecture aux patients, je jouais avec les pauvres petits enfants blessés, j'essayais de me rendre utile. Mais maintenant ils ne laissent entrer que les

« personnels de santé » à cause des risques liés à la « sécurité ». Comme si je représentais un quelconque danger pour ces gens ! elle a précisé, l'air scandalisé. Piper et moi on s'est regardées discrètement en pensant la même chose : seulement si être complètement à la masse, c'est contagieux...

Plus tard le major nous a dit Vous ne pouvez pas vous imaginer tout ce qui peut mal tourner pour les civils pendant une guerre. Par exemple, imaginons qu'un enfant ait l'appendicite ou se casse une jambe, eh bien, il n'y a pas de téléphone pour signaler que l'os pointe à travers la cuisse, pas d'essence pour le conduire en voiture à l'hôpital de campagne, en admettant qu'on sache où ça se trouve, plus une terrible pénurie d'antibiotiques si par chance on arrive à trouver un chirurgien et qu'on ne veut pas que le gosse meure d'une infection au bout d'une semaine.

Une autre fois le major nous a parlé des cancéreux qui avaient besoin de médicaments très coûteux et d'une femme de sa connaissance qui avait un rhésus négatif et dont le bébé allait probablement mourir de toute façon, et aussi de personnes âgées qui tôt ou tard mourraient d'une attaque ou d'une crise cardiaque ou parce qu'elles n'avaient plus de médicaments, sans compter celles qui étaient déjà mortes.

Plus tard encore il nous a expliqué les problèmes agricoles qu'il s'efforçait de résoudre dans la région, surtout des histoires de vaches qu'on ne pouvait plus traire avec les trayeuses électriques car les groupes électrogènes ne fonctionnaient plus ; il fallait les traire à la main sinon elles attrapaient une mastite et elles en mouraient. Je parie que vous n'aviez pas pensé à cet effet secondaire-là de la guerre.

Une fois qu'on se met à penser à tous les trucs qui ne marchent pas on n'en voit plus la fin. Par exemple, les incubateurs à poussins, pour ne rien dire des couveuses pour les bébés humains, des clôtures électrifiées, des appareils de contrôle dans les hôpitaux, des trucs avec lesquels on ranime les gens quand leur cœur s'arrête, des réseaux informatiques, des trains et des avions. Même l'approvisionnement en gaz pour le chauffage et les cuisinières était régulé par des systèmes électriques, a ajouté le major ; et l'eau, comment croyez-vous qu'on la pompe dans les puits ?

Je sentais venir le documentaire scientifique intitulé *L'Électricité notre amie*.

Et puis il y avait la question de savoir quoi faire de toutes ces vaches, de tous ces poussins, et aussi des morts ; apparemment il y avait plein de créatures mortes qui allaient vite devenir un gros problème de santé bien puant, mais là c'était peut-être un peu trop pour moi. Ce n'était pas de sitôt que je remangerais un hamburger ou une cuisse de poulet.

Le brave major distribuait aussi du lait, des œufs et autres denrées agricoles afin que les populations occupées ne meurent pas de faim, et un ou deux autres petits détails de ce style, ce qui fait qu'il avait plus que son lot de travail.

Je crois que par un phénomène d'osmose et de politesse combinées j'en savais plus sur l'agriculture après quelques semaines chez les McEvoy que je n'aurais pu en apprendre pendant toute une existence au dixième étage d'un immeuble de la Quatre-Vingt-Sixième Rue où ce qui se rapproche le plus d'un « produit de l'agriculture » c'est un sandwich au *corned-beef* acheté chez Zabar's, avec un prétendu cornichon dont je n'ignore pas qu'il a eu une existence antérieure de légume, mais dont je ne sais pas du tout comment il a pu se retrouver dans le vinaigre puis dans mon assiette.

Quoi qu'il en soit, tout ça se passait sous l'Occupation et ses édits, circonstances qui ne m'ont jamais paru très claires mais qui, pour autant que je sache, signifiaient qu'on pouvait faire ce qu'on voulait du moment que personne ne vous l'interdisait. Je ne comprenais pas vraiment en quoi consistait cette fameuse Occupation parce que ça ne ressemblait à aucune des guerres qu'on avait vues et adorées dans les feuilletons télé.

Quand j'ai appris ce qui s'était passé je les ai trouvés drôlement malins, les gars qui ont organisé tout ça ; si j'ai bien compris, ils ont attendu que le plus gros de l'armée britannique soit attiré à l'autre bout du monde par des affrontements locaux pour débarquer sans crier gare, couper tous les moyens de communication et tout ça, ce qui fait qu'ils DÉFENDAIENT la Grande-Bretagne contre sa propre armée de retour de l'étranger au lieu de l'attaquer directement.

Le major a dit On peut voir ça comme une « prise

d'otages avec soixante millions d'otages », ce que j'ai fait.

Il y a sans doute des aspects importants de ses explications qui me sont passés au-dessus de la tête, mais en substance je crois que c'était à peu près ça, et chaque fois que quelqu'un entrait dans les détails je me surprenais à laisser vagabonder mes pensées, à me demander par exemple Est-ce qu'il se teint les cheveux et Qu'est-ce qui leur a pris de choisir cette couleur de papier peint ?

Visiblement il restait quand même quelques militaires sur le territoire britannique – justement ce qu'on appelle ici l'armée territoriale – et ça impressionne comme ça au premier abord mais en fait on se rend vite compte qu'il s'agit seulement d'une bande de types qui bossent au noir et passent quelques week-ends par an à suivre un entraînement de base en se prenant pour les Douze Salopards, comme dans le film. D'après le major il était « entendu » que la situation ne pouvait pas durer et que tout serait fini dès que les forces armées britanniques auraient eu le temps de se réorganiser ; alors l'Occupant serait fini, mort ; les envahisseurs voulaient seulement « faire passer un message » sans avoir jamais eu l'espoir que ça finirait bien pour eux.

Ça me scotchait que ce soit aussi facile de précipiter tout un pays dans le chaos rien qu'en versant des toxiques dans les réservoirs d'eau, en coupant l'électricité et le téléphone et en faisant sauter quelques grosses bombes ici et là dans des tunnels, des bâtiments officiels et des aéroports.

On a aussi appris que s'il n'y avait plus d'essence c'était encore à cause de l'Ennemi : McEvoy nous a dit à Piper et à moi que la première chose dont ils s'étaient emparés, quand tout avait commencé, c'était le pétrole. L'autre raison, c'était qu'on avait besoin de vous-savez-quoi pour l'extraire du sol et l'amener jusqu'au réservoir des voitures.

Onze lettres et ça commence par un « é ».

Je suppose aussi que ça démontre la nécessité d'avoir une armée, même un semblant de reliquat, parce que si dans cette histoire les Méchants s'emparaient de tout ce qui leur tombait sous la main, au moins les Bons avaient l'air sincèrement décidés à distribuer le reste afin qu'il y ait le moins possible de morts dus à la négligence ou tout simplement à la stupidité.

Pour tout dire je me sentais un peu coupable de savoir que pendant qu'on vivait notre petite sitcom familiale entre nous, les cousins et moi, tout un tas de gens s'affairaient en tous sens comme des dingues pour empêcher le « tissu social » de s'effilocher, et personnellement, je trouvais qu'il y avait beaucoup trop de problèmes à régler pour le petit nombre de gens susceptibles de le faire.

En d'autres termes, on manquait terriblement de gens pour « s'occuper du concret », ce qui nous laissait une chance de FICHER LE CAMP et de revenir un jour là où était notre place. Évidemment c'était notre but unique, mais d'ici là on s'est dit qu'en faisant quelque chose de concret nous aussi on éviterait peut-être de mourir d'ennui – en effet, j'étais en train de découvrir que c'était un important facteur de mortalité dans les guerres modernes.

Alors malgré toutes les moqueries auxquelles Osbert avait eu droit quand il s'était si passionnément joint à l'effort de guerre, j'ai compris que ça nous vaudrait peut-être notre billet de retour.

En tout cas, c'était l'idée.

18

Pendant toute cette période, je suis restée en contact avec Edmond. Ça peut paraître bizarre mais il me « visitait », pas tout à fait comme le bon Dieu visitant Moïse ou comme les anges venant dire à Marie qu'elle était enceinte de l'Enfant Jésus, mais quand on y réfléchit bien, ce n'était pas si différent que ça, au fond.

D'abord il fallait que je sois dans un certain état d'esprit – calme, la tête ailleurs, parfois à moitié endormie ; alors je sentais venir une espèce d'aura, comme si l'endroit juste derrière mes yeux s'allégeait, et je savais qu'Edmond était là. Je flairais son odeur de tabac et de terre, plus quelque chose de rayonnant et d'épicé genre ambre. Je sentais le contact lisse et mouvant de sa peau, mais jamais je ne le voyais à proprement parler. Un jour, j'ai deviné qu'il avait la toux ; sa respiration était ralentie et alourdie. Une autre fois, par une nuit très fraîche, il m'a embrassée et j'ai senti son corps frémir contre le mien. À certains moments je sentais simplement son regard sur moi, qui me contemplait avec son air interrogateur de chien plein de sagacité ; alors je prenais mon élan, en quelque sorte, et j'essayais de flotter des heures sur cette sensation.

Un jour, pendant une transe qui n'était pas tout à fait un rêve, une image s'est formée dans ma tête et j'ai su que c'était là qu'il vivait avec Isaac ; j'ai vu les gens avec qui ils habitaient, comment ils passaient le temps. Une autre fois j'ai entendu le frêle vagissement d'un bébé qui venait de naître, et Edmond m'a paru fatigué, sans entrain. Il a disparu sans que je puisse savoir ce qui s'était passé.

Que j'aie ou non conscience de sa présence, je lui parlais en permanence, de Piper, de Jet, des McEvoy, de la vie qu'on menait ; et puis au beau milieu d'un monologue erratique j'avais parfois l'impression qu'il écoutait, comme si je l'avais fait apparaître par magie, style le lapin que le magicien tire de son chapeau en le tenant par les oreilles. Là où j'étais le plus heureuse, c'était quand il venait juste s'allonger à côté de moi et que je sentais presque le poids de son corps contre le mien. Sa présence faisait taire ne serait-ce que quelques secondes le crépitement de l'angoisse qui faisait grincer mon sang contre mes os et l'espace d'un instant je me sentais fondre, comme si j'étais toute molle.

Ne vous méprenez pas : je n'ai pas l'intention d'écrire un traité scientifique sur le phénomène. Je ne crois pas plus que vous au monde des esprits. Je ne fais que raconter ce qui m'est arrivé.

Rétrospectivement, je me dis que c'était le genre de

connexion entre les gens qui fait qu'ils ont l'idée de se téléphoner au même moment alors qu'ils ne se sont pas parlé depuis cinquante ans. On lit bien des histoires de frères et de sœurs qui ont été adoptés à la naissance par des familles vivant à des milliers de kilomètres l'une de l'autre et qui prénomment tous les deux leur premier enfant Véra, des histoires de chiens qui se mettent à hurler à la mort à la seconde où leur maître se fait tuer à la guerre, ou de gens qui ont des rêves prémonitoires d'accidents d'avion. C'est le style de lien auquel on n'a aucune raison de croire en temps normal, et en plus, je ne suis pas tellement du genre à croire aux fantômes. Les séances de spiritisme et les chats noirs ne font pas partie de mes névroses, ou alors ils sont tout en bas de la liste.

Vous comprendrez donc pourquoi je n'ai pas fait tout un plat autour de mes « rencontres » avec Edmond. Je n'étais même pas très sûre d'avoir envie d'en parler avec Piper.

J'essayais de soigner ma réputation. Cette fois, ce serait moi, la personne saine d'esprit.

19

Avant qu'on cherche un moyen de replonger dans le vaste monde, la première question à laquelle je voulais une réponse c'était cette histoire d'épidémie de variole.

Le major a eu l'air mal à l'aise quand j'ai abordé le sujet ; il a dit qu'« actuellement cela ne représentait pas un danger pour la population dans son ensemble », et quand j'ai pris mon plus bel air stupéfait, il a ajouté Daisy... Tu t'imagines ce qui se passerait sans rien pour empêcher les gens de se promener partout en « répandant des rumeurs », en « sombrant dans l'hystérie » et en tentant de monter des raids contre l'Ennemi, ce type de choses, hein ?

Après quoi j'ai eu droit à son regard « Nom/grade/matricule » et il a détourné la conversation.

Comme je ne suis pas complètement idiote, j'ai bien pigé que si je devais mourir de quelque chose ce ne serait pas de la variole.

Le côté intéressant de cette petite info c'est que les

militaires n'avaient pas tort, je m'en rendais bien compte, mais c'était quand même jouer un tour drôlement sournois à tous ces gens de la campagne qui étaient plutôt du genre simple.

Une fois cette constatation établie, je me suis mise à chercher comment faire pour que Piper et moi on ne passe pas le reste de notre vie à végéter à Reston Bridge alors qu'on aurait pu courir le monde, voire tomber par hasard sur des proches parents perdus de vue.

C'est pourquoi, après nous être tourné les pouces pendant quelques jours à devenir à moitié cinglées à cause des fourmis dans les jambes et à essayer de soutenir une conversation rationnelle pendant qu'Alby nous donnait des coups d'épée en plastique sur la tête toutes les six secondes, on a demandé au major de nous trouver quelque chose à faire parce que « le boulot ne nous faisait pas peur » et qu'on voulait « aider les gens », ce qui n'était pas complètement faux sauf que les gens en question c'était nous. Il nous a contemplées quelques secondes l'air pensif et a répondu qu'il allait y réfléchir, qu'il nous en reparlerait.

Vous imaginez bien qu'il allait devoir réfléchir dur car même sous notre meilleur jour on était une paire de bonnes à rien ; mais c'est alors que je me suis rappelé JET, et ça, c'était un COUP DE GÉNIE parce qu'un chien de berger bien dressé et une personne qui sait lui faire faire des trucs, c'était super-précieux en ce moment vu que les agriculteurs du coin dépendaient de leurs grosses motos tout-terrain pour rassembler leurs troupeaux et qu'il n'y avait plus d'essence à mettre dedans.

Isaac avait appris le dressage des chiens à Piper, et comme ils étaient naturellement doués, à eux deux, ils étaient les meilleurs du monde pour « murmurer à l'oreille des animaux » ; ils savaient faire obéir les chiens, les chèvres, les moutons et probablement les insectes rien qu'en les regardant d'une certaine manière et en sifflant tout bas – ce qui, dans le cas d'Isaac, était particulièrement utile vu ses aptitudes limitées en matière de conversation.

Cette trouvaille de génie a éveillé l'intérêt du major, qui a demandé qu'on lui fasse une petite démonstration avec des moutons. En deux ou trois coups de sifflet Piper a envoyé Jet au jardin ; comme prévu il est parti comme une flèche, s'est aplati par terre en approchant Alby et là, tout doucement, l'air de rien, il l'a fait peu à peu avancer vers nous jusqu'à ce que le brave garçon se retrouve planté devant son père, l'air de n'y rien comprendre et se demandant visiblement pourquoi chaque fois qu'il faisait demi-tour pour retourner jouer, Jet lui barrait le passage.

Piper a flatté son chien en prenant un air suffisant qu'on ne lui reverrait probablement jamais et je me suis dit ÇA Y EST, c'est parti, il ne me reste plus qu'à trouver comment me rendre utile à mon tour des fois qu'ils me colleraient dans un fourgon en partance marqué « chair à canon ».

Mais finalement le major s'est avéré plutôt sympa ;

par ailleurs, il savait sans doute que partir tout seul avec une gamine de neuf ans qui n'était pas la sienne, même en temps de guerre, ne serait peut-être pas très bien vu, alors il m'a conviée à les accompagner. J'ai adressé un signe mental de victoire à Piper et elle m'a souri.

On a appris que notre maison n'avait pas été la seule à être réquisitionnée, et le major a commencé à nous emmener tous les matins à la ferme de Meadow Brook, la plus grande exploitation laitière à soixante-quinze kilomètres à la ronde, qu'on aurait d'ailleurs dû rebaptiser Fort Knox vu que ça grouillait dans tous les coins de soldats qui essayaient de remplacer les machines.

Le problème, c'était qu'il fallait emmener paître les vaches quotidiennement parce qu'il n'y avait pas assez de foin pour les nourrir, et les rentrer deux fois par jour pour la traite, ce qui a l'air assez simple comme ça sauf que ça fait trois cents bêtes qui vont et viennent dans tous les sens et plein de militaires qui tournent en rond comme des éléphants dans un magasin de porcelaine.

Le spectacle de Jet en pleine action était miraculeux ; au bout d'une seule journée les trois quarts de l'armée britannique – ou ce qu'il en restait – l'adoraient littéralement, Piper venant juste après, en seconde position. Elle savait l'envoyer isoler dix vaches et faire en sorte qu'il les ramène pour la traite tout en se préparant pour les dix suivantes.

Tous ces grands costauds de soldats n'en revenaient pas de la petite Piper, si mignonne et si sérieuse, avec son coup de sifflet magique et son chien noir et blanc qui fonçait à toute vitesse à l'endroit exact où elle lui disait d'aller ; elle devait leur rappeler leur petite sœur, ou celle qu'ils auraient aimé avoir, à moins que ce ne soit carrément la Vierge Marie. Quand ils n'étaient pas occupés ailleurs ils venaient traîner dans le coin, l'air un peu ailleurs, pour regarder faire Piper et Jet, et on sentait bien que ça les rendait heureux rien que d'être dans les parages, en contact avec cette bonne vieille Magie Familiale.

Piper faisait comme si elle ne remarquait pas tout l'intérêt qu'elle suscitait mais moi je voyais bien qu'elle appréciait qu'on lui pose toutes sortes de questions sur Jet et qu'on lui réserve un traitement de faveur. Tous les matins il y avait en moyenne trois ou quatre grands baraqués qui venaient rôder des heures autour d'elle avant d'avoir le courage de lui dire C'est fou comme ce chien me rappelle le mien ou Comment il sait ce que veut dire tel ou tel coup de sifflet ?

Pourtant, j'avais plutôt l'impression qu'au fond, ce qu'ils avaient envie de lui dire c'était Tu as les plus beaux yeux du monde.

Elle faisait toujours cet effet-là, mais chez elle avec tous ces frères qui occupaient le terrain, on la remarquait moins.

Le hic c'est qu'il y avait trop de boulot pour Jet et pas assez pour moi. Si on avait pu avoir Gin pour aider Jet ça aurait résolu *un* problème, en plus d'être une vraie bénédiction, mais pas l'autre. Je passais quelques-unes de mes interminables heures d'oisiveté à apprendre à tirer au pistolet, ce qui pouvait s'avérer utile un jour, sinon pendant la guerre, du moins quand je serais de retour dans les rues de New York. C'était plus difficile qu'il n'y paraissait mais au bout d'un moment je suis devenue assez bonne grâce à tous les tireurs d'élite qui se baladaient à la ferme déguisés en laitières.

J'ai voulu aborder le sujet avec le major et faire enrôler Gin dans notre bataillon de l'armée britannique, et l'espace d'une seconde j'ai bien vu qu'il oubliait son rôle – nous protéger et nous empêcher de nous « regrouper » – car il a pris un air distrait pour répondre Non, pas possible d'aller chercher Gin pour l'instant à cause de la « situation sur les routes », et d'ailleurs, elle est sûrement aussi utile à Gateshead Farm que Jet chez nous.

Heureusement que j'ai des années de pratique dans l'art de « conserver un visage de marbre en cas de crise » ; à me voir, on aurait dit que le nom de Gateshead Farm ne me faisait pas plus d'effet qu'une marque de cornflakes parmi d'autres, sauf qu'en bon agent secret je détenais à présent deux informations capitales susceptibles de reconstituer une adresse, alors que le major, lui, croyait qu'on parlait encore de chiens.

Je n'en ai pas parlé tout de suite à Piper ; je comptais sur une intervention divine pour trouver le moyen de gagner Gateshead Farm près de Kingly, « à l'est d'ici », et surtout l'instant propice.

Mais revenons aux chiens. On a fini par trouver un compromis et dégotter un colley ridicule qui répondait au nom de Ben, guère plus qu'un chiot en fait, pour seconder le Maître ; sauf que ça n'a pas marché aussi bien qu'on aurait pu l'espérer parce que ce n'était pas le chien le plus intelligent du monde et qu'en plus il avait peur des vaches.

Pour finir Jet a tellement bien pigé le truc que de temps en temps un soldat ou moi-même pouvions prendre le relais pendant que Piper s'efforçait de faire rentrer quelque chose dans le crâne de ce pauvre crétin de Ben en lui faisant répéter cent fois la même chose jusqu'à ce qu'il ne soit pratiquement plus bon à rien. Il persistait à fuir en bêlant si une vache se mettait en tête de le regarder de travers, mais comme la plupart du temps elles s'en fichaient pas mal de lui il s'en sortait tant bien que mal.

Je surprenais parfois Jet en train de lui lancer un coup d'œil accablé et je l'entendais presque penser Excusez-moi mais d'où sort ce taré ? Qui l'a invité ?

Et parfois, je me demandais s'il ne se posait pas la même question à mon propos.

20

Vous aurez sans doute compris à certaines allusions que j'ai pu glisser par-ci, par-là que la nourriture n'était pas mon sujet préféré. C'était donc assez ironique que je me retrouve enrôlée dans une partie de l'armée ayant pour mission d'en procurer au plus grand nombre.

Il y avait l'opération traite des vaches, avec Piper et Jet le Chien Miraculeux dans les rôles principaux, et après ça se compliquait car il fallait chauffer le lait et le stériliser puisqu'il n'y avait plus de frigos ; ça s'est avéré tellement difficile qu'ils ont fini par abandonner et le distribuer tel quel, directement sorti du pis. On s'en faisait beaucoup à propos des conteneurs contaminés mais finalement la meilleure solution a été de demander aux gens d'« apporter leur bouteille » ; comme ça au moins l'armée savait que le lait était bon en partant de chez eux, et si quelqu'un se faisait intoxiquer ce n'était pas sa faute à elle.

Deux types du coin s'y connaissaient en abattage de bétail alors c'étaient eux les petits veinards qui écopaient du boulot de tuer et découper les vaches, et croyez-moi, ça produit beaucoup plus de sang qu'on a envie de se l'imaginer par une nuit d'orage sans lune. Cela dit, ils avaient la cote ; ils se découvraient tout à coup tout un tas de copains qui venaient faire la queue jusque dans la rue avec des pinces à barbecue.

On tordait le cou à des poules dans tous les coins, surtout celles qui ne pondaient pas vingt-quatre heures sur vingt-quatre, et je m'étonnais de constater que les vieux étaient souvent très à l'aise avec ça. Piper disait que c'était à cause de la « dernière guerre » et du rationnement, quand tout le monde élevait des poules, et je me suis réjouie de savoir que les trucs que j'apprenais me seraient peut-être utiles « plus tard dans ma vie », en admettant qu'il y ait un « plus tard ».

Pour finir, tous les individus assez bien portants et assez vaillants pour moissonner ou récolter ceci ou cela se sont fait embaucher et c'est là que je suis entrée en scène.

J'ai commencé par cueillir les « pommes d'été », ce qui était quand même plus utile que de tourner autour de la Société des Amis de Piper. D'abord je me suis attiré un tas de regards dubitatifs – est-ce que j'étais vraiment assez costaud pour travailler aussi dur ? – mais par les temps qui couraient c'était la détermination qui comptait ; par ailleurs, plus ça allait plus il y avait de gens maigres alors on ne me remarquait plus autant.

Je travaillais avec huit personnes recrutées par l'armée dont trois soldats, leurs épouses et deux autres civils. On s'y mettait tôt le matin, on bossait jusqu'à la tombée du soir et au bout de quelques heures seulement on se retrouvait toujours avec les mêmes, comme au temps de l'école.

Ma collègue, une femme de la région appelée Elena, était de Liverpool, à l'origine, ce qui fait que les premiers jours je ne comprenais pas la moitié de ce qu'elle disait et inversement. Mais on a fini par bavarder de choses et d'autres et les histoires n'ont pas tardé à sortir ; c'est ainsi que j'ai appris comment elle avait rencontré son mari, Daniel, quels étaient leurs films préférés, à quelle fréquence ils faisaient l'amour, et même si elle était beaucoup plus âgée que moi et qu'on parlait à peine la même langue, c'était le genre à qui on pouvait tout dire sans craindre d'être dénoncé au pape.

Elle a voulu savoir des tas de choses sur ma famille, américaine et anglaise, bien qu'elle ne connaisse que Piper dans le tas, et comment je m'étais retrouvée à cueillir des pommes en pleine cambrousse à l'étranger, qui plus est au beau milieu d'une guerre tout aussi étrangère. Parfois j'avais l'impression que j'allais imploser sans personne à qui raconter ma nouvelle vie, surtout les trucs qu'une personne de mon âge n'aurait même pas le droit de voir au cinéma. Mais chaque fois que j'étais sur le point de tout déverser dans le giron d'Elena je me ravisais au dernier moment, au cas où.

Heureusement, elle était suffisamment fascinée par le fait que je sois américaine et que j'aie été envoyée ici par ma « méchante belle-mère », ce qui lui faisait émettre toutes sortes de claquements de langue désapprobateurs, alors il me suffisait de prendre un air tragique et de ne plus prononcer un mot pendant quelques minutes pour que tout à coup ma nouvelle meilleure amie inscrive toute la bande de cueilleurs de pommes au club des Ennemis Jurés de Davina, ce qui me mettait durablement du baume au cœur.

Quand on s'est attelés à la tâche, on nous a remis des grandes caisses où empiler les fruits ; le truc, c'était de ne pas les jeter dedans sinon elles étaient talées, pourrissaient et finissaient par gâter les autres ; ça expliquait l'image de la « pomme pourrie » qui suffit à contaminer tout le panier que les profs m'avaient sortie mille fois à l'école – ou plutôt des « deux pommes pourries », en comptant Leah.

On avait des paniers et des échelles qu'il fallait déplacer quand on n'avait plus de pommes à portée de main, et quand les paniers étaient soit pleins soit trop lourds à porter on les passait à quelqu'un d'autre qui les vidait consciencieusement avant de vous les rendre.

Que je fasse partie de ceux qui cueillaient ou de ceux qui entassaient, le travail était aussi fatigant, et les premiers jours j'ai dû m'allonger vingt minutes par terre de temps en temps pour ne pas m'évanouir d'épuisement et soulager un peu mon mal aux bras. Elena était sympa ; elle continuait à travailler à côté de moi en me laissant tranquille.

C'était tellement dur qu'au début, j'ai pensé que je ne le supporterais pas ; tous mes muscles me faisaient mal, c'est à peine si j'arrivais à monter dans le camion ou à me lever le matin. Mais j'ai tenu bon parce que repousser constamment mes limites, ça me calmait. C'est difficile à expliquer, mais c'est un truc que je sais très bien faire.

Un des types qui travaillait avec nous, Joe, un peu plus âgé que moi, ne me plaisait pas beaucoup ; malheureusement, ce n'était pas réciproque. Il s'est mis à traîner autour de nous et à essayer de se rendre intéressant en racontant des blagues idiotes tout en bossant et en posant des questions vraiment bêtes genre Qu'est-ce que ça fait d'être une Amerloque ? Elena était indulgente avec lui parce qu'il n'avait pas inventé la poudre, surtout quand il s'agissait de piger qu'il n'était pas le bienvenu, mais c'est plus facile d'être indulgent quand on ne se fait pas reluquer de la tête aux pieds comme une vulgaire proie.

Elle m'a dit Peut-être qu'il se sent seul, et moi je me demandais Elle espère que je vais ouvrir un Foyer pour Inadaptés ou quoi ? Puis elle s'est mise à rigoler et j'ai senti qu'on pensait la même chose, à savoir Si certaines personnes sont seules ce n'est peut-être pas par hasard.

Après ça on a plus ou moins fait comme s'il n'existait pas.

À part Piper, Jet, moi et quelques autres, tous ceux qui travaillaient là habitaient sur place ; aussi on venait nous chercher tous les matins à sept heures et on nous reconduisait à sept heures du soir et chaque fois on s'endormait dans le camion. C'est tout juste si on arrivait à se réveiller le temps de dîner et de se coucher. Voilà à quoi se résumaient nos journées.

On a mis un bout de temps à s'y habituer, mais au bout d'une semaine on a comparé nos muscles et j'ai parlé d'Elena à Piper, et ça compensait presque le fait qu'on ne se levait même plus quand on avait un jour de congé. Même Jet préférait rester sous le lit, sauf quand on l'appelait pour manger.

Les prunes ont mûri à peu près en même temps que les pommes, alors de temps en temps on passait des unes aux autres histoire de changer, mais les pommes, c'était plus facile à attraper et on n'était pas obligées de déplacer l'échelle aussi souvent ; en plus, quand les prunes tombaient elles pourrissaient en attirant des milliers de guêpes. Donc, Elena et moi on s'en tenait la plupart du temps aux pommes.

Elena était ce qu'on appelle une « femme forte », et on voyait bien qu'elle avait envie de me demander pourquoi j'étais si mince, mais étant britannique, elle aurait préféré se scier elle-même les jambes à la hauteur des genoux plutôt que de poser la question. J'ai plusieurs fois surpris son regard perplexe à table quand elle me voyait grignoter alors que les autres dévoraient tout ce qui passait à leur portée, et je sentais bien que guerre ou pas, elle se disait Si seulement je savais me maîtriser aussi bien...

J'ai découvert qu'elle essayait d'avoir un enfant depuis sept ans et qu'au moment où la guerre avait éclaté elle était en train de suivre une espèce de traitement de la dernière chance ; maintenant il n'y avait plus de traitement, elle avait quarante-trois ans et elle ne savait pas quand la possibilité se représenterait.

Je lui ai dit que si elle voulait se rendre compte qu'être sans enfant, ça avait aussi des avantages, elle n'avait qu'à emprunter Alby quelques jours, mais visiblement, ça l'a fait rire jaune et elle a eu un regard vide tout à coup alors j'ai regretté.

Après une dizaine de jours de cueillette quelques-uns d'entre nous sont passés au ramassage des fèves, et ça, c'était encore pire parce qu'on était tout le temps penchés et que ça faisait mal à tout un tas d'autres muscles, mais au moins c'était bon à manger quand on les rapportait à la maison pour les faire cuire. Il faut dire qu'il n'y avait plus grand-chose qui fasse envie dans ce domaine, et même moi je n'aurais pas dit non à une bonne tranche de pain grillé – quand je le disais ça faisait rire Elena.

Un soir où on rentrait en passant par les *check points* habituels, pendant qu'on dormait, Piper et moi, Joe – qui prenait parfois le même camion que nous pour aller voir ses parents au village – s'est tout à coup mis en tête de se lever et de faire son intéressant ; il devait croire que la guerre était une espèce de forum de discussion ouvert où les participants s'intéressaient sincèrement à ce que racontaient les autres parce qu'il a commencé à brailler des insanités en s'adressant à un garde du *check point* ; le major lui a ordonné de se rasseoir sur un ton super-glacial mais il n'en a pas tenu compte ; il a continué à beugler que les « étrangers » n'avaient qu'à aller se faire f..., entre autres insanités.

Alors, d'un geste presque indolent, le garde qui le regardait a levé son arme et appuyé sur la détente ; on a entendu une forte détonation, la moitié de la tête de Joe a explosé, il y a eu du sang partout et il est tombé du camion.

Piper a suivi toute la scène sans broncher mais moi, j'ai été prise de vomissements à cause du choc et il a fallu que je me penche par-dessus bord. Quelqu'un criait, et quand je me suis retournée on aurait dit que le monde avait ralenti, qu'il était devenu silencieux, et à l'intérieur de ce silence j'ai vu le garde en question se remettre à bavarder tranquillement avec son copain. J'ai aussi vu la tête du major basculer en arrière l'espace de quelques secondes ; il a fermé les yeux et son visage s'est plissé de désespoir. Pendant ce laps de temps très bref je me suis dit Pourtant il n'était pas à ce point attaché à Joe mais alors j'ai baissé les yeux et découvert avec horreur que ce dernier était toujours vivant ; il gargouillait en essayant de bouger un bras, l'autre étant coincé sous lui. J'ai reporté mon regard sur le major : il faisait ce qu'il estimait être son devoir en tant que représentant des forces armées en situation de défendre un citoyen britannique, c'est-à-dire qu'il descendait du camion avec l'intention manifeste de remettre Joe sur pied pour ensuite le porter en sécurité quelque part ; mais alors j'ai entendu cent coups de feu simultanés – une mitraillette – et sous l'impact, le major a été projeté en arrière, de l'autre côté de la route par rapport à Joe, avec partout sur lui des trous qui se remplissaient de sang et cette fois on voyait bien que Joe était 100 % mort, il y avait de la matière cérébrale partout et notre chauffeur n'a pas attendu de voir ce qui allait se passer après, il a appuyé sur l'accélérateur et on est repartis ; j'ai cru sentir des larmes couler sur mes joues mais en voulant les essuyer j'ai vu qu'en fait c'était du sang. Personne ne parlait, tout le monde était comme en état de choc et je ne pouvais pas détacher mes pensées du pauvre major couché là-bas dans la poussière, sauf qu'il ne s'en rendait sûrement pas compte puisqu'il était mort.

Il n'y a jamais eu sept humains plus muets à l'arrière d'un camion ; on était trop assommés pour pleurer ou dire quoi que ce soit. Quand on est arrivés à Reston Bridge, le chauffeur, dont je savais qu'il était très ami avec le major, est descendu et a attendu une minute devant la maison pour trouver le courage d'aller annoncer la nouvelle à Mme McEvoy, mais d'abord il s'est tourné vers nous et nous a dit d'une voix brisée par l'émotion et la rage Au cas où vous l'auriez oublié, « on est en guerre ».

Et le ton de sa voix m'a donné l'impression de tomber en chute libre.

21

On avait largement eu l'occasion, pendant ces quelques semaines, de se rendre compte que la pauvre Jane n'était plus vraiment en possession de tous ses moyens ; de toute évidence, le vase allait déborder et ça allait être une inondation majeure.

Piper et moi on a essayé d'occuper Alby pendant qu'elle allait et venait dans la maison en gémissant et en se cognant partout, puis des femmes de militaires sont arrivées pour la consoler, comme si c'était possible, et Alby, qui ne comprenait pas du tout que son père était mort, continuait à jouer à son jeu préféré, c'est-à-dire « donner de grands coups dans tout ce qui lui tombait sous la main », puis « dans tout ce qui était *a priori* hors de portée » et enfin « dans tout ce qu'il restait à fracasser ». Au bout de six heures comme ça il n'a plus rien trouvé dans quoi donner de grands coups alors il a agrippé sa mère en se mettant à hurler, ce qui n'était pas pour arranger les choses.

L'ami et chauffeur du major, le caporal Francis, que

tout le monde appelait Frankie, est allé essayer de récupérer les corps avec deux copains mais ils n'ont pas pu approcher du *check point* parce que les autres tiraient aussitôt des coups de semonce. Il est venu passer la nuit à la maison et j'ai voulu lui suggérer de donner des calmants à Mme McEvoy mais il avait l'air tellement fatigué, tellement démoralisé (je n'avais jamais vu ça de ma vie) à force de se dépasser dans tous les domaines que j'ai eu peur : chercher une ordonnance de Valium risquait de faire déborder le vase, là aussi, et de toute façon c'est lui qui aurait bien eu besoin de quelques centaines de milligrammes de calmants.

Avec Piper, on a préparé un semblant d'omelette en ajoutant des œufs au lait d'Alby, on a fait cuire quelques fèves de la ferme et coupé des prunes ; on a proposé le tout à Frankie qui n'a presque rien mangé et à Alby, qui a mangé tout ce qu'on lui a donné, puis on est allées se coucher tout de suite après en laissant Frankie avec Mme McEvoy et deux femmes de soldats qui pleuraient dans le noir à la cuisine.

La nuit s'est très mal passée ; Piper n'arrêtait pas de se réveiller d'un coup, les yeux grands ouverts, en disant qu'elle voyait tout le temps le visage du jeune type qui s'était fait tuer, puis elle s'est mise à pleurer en réclamant sa mère ; je la calmais, elle se rendormait, et ça recommençait. Moi quand je repensais à Joe je regrettais qu'on lui ait fait sauter la tête comme ça, mais en même temps j'étais furieuse contre lui car le major était mort à cause de ses bêtises.

Quand j'ai fini par m'endormir j'ai trouvé Edmond et je lui ai tout raconté ; il est resté avec moi pendant des heures. Je ne savais pas si je rêvais ou si j'étais limite schizo, et je m'en fichais.

Vers six heures, comme tout le monde dormait encore, quatre militaires ont débarqué à grand bruit pour venir chercher Frankie ; ils ont dit qu'on devait partir tout de suite parce qu'un groupe d'autodéfense s'était constitué, qu'ils étaient partis dans la nuit tendre une embuscade aux soldats du *check point* et que maintenant l'Ennemi passait de maison en maison en butant tous ceux dont la tête ne leur revenait pas.

Là, ça a été la cata.

Mme McEvoy s'est figée sur place comme si elle ne comprenait plus l'anglais, et même comme si elle ne savait plus marcher, alors que les autres couraient en tous sens en poussant des cris. J'ai voulu lui dire d'aller chercher Alby mais elle ne m'a même pas regardée alors c'est Frankie qui a pris le relais, il m'a dit de m'habiller, j'ai attrapé quelques habits et deux couvertures épaisses, j'ai dit à Piper de prendre un des pulls du major et de me garder une place dans le camion, puis j'ai fourré des trucs qui pouvaient être utiles dans les couvertures, entre autres un bocal d'olives et un pot de confiture de fraises (en gros tout ce qui restait dans le garde-manger) et pendant que je cherchais ce qui pourrait nous servir j'ai vu une petite boussole en argent, sur un présentoir, avec le nom du major marqué dessus suivi d'une inscription ; j'ai tapé le présentoir par terre pour détacher la boussole en ayant l'impression d'être une pilleuse de tombes et je l'ai mise dans ma poche avec le petit couteau qu'on m'avait donné pour ramasser les fruits.

Je m'étais dit que Jet nous suivrait naturellement quand on monterait dans le camion mais le moment venu, pas trace de lui, peut-être parce qu'il y avait trop de bruit. L'air frappé de stupeur, Piper l'a sifflé et appelé d'une voix de plus en plus hystérique. Les autres auraient bien aimé voir une petite fille retrouver son chien, mais on ne pouvait pas mettre en danger la vie de tout le monde en attendant les heureuses retrouvailles alors je l'ai entraînée à ma suite et on est partis sans lui.

Piper n'a même pas pleuré. Elle est restée assise là, le visage inexpressif, ce qui était bien pire.

D'ailleurs, on était tous à peu près dans le même état : hébétés et muets. Pour une fois Alby la fermait et Jane était toujours pétrifiée. On a roulé vers le sud, à en croire ma boussole, et on ne s'est arrêtés qu'une fois, pour prendre à bord quelques militaires que j'avais vus à la ferme et qui ont tout juste eu la place de se tasser à l'arrière avec nous.

Des gens nous ont hélés – par les temps qui couraient, un bruit de camion suffisait à faire sortir les gens en courant de chez eux pour voir ce qui se passait – et quelques-uns ont tenté de nous arrêter en nous barrant la route ou en sautant sur le côté du camion mais Frankie nous a dit tout bas de nous planquer et il a continué à rouler sans même ralentir.

Piper et moi nous raccrochions l'une à l'autre, abruties par la peur et le sentiment de tout ce qu'on avait perdu ; Jane se raccrochait à Alby comme quelqu'un qui se noie – le gamin, lui, était tout content d'être dans un camion et de voir défiler les arbres – mais les larmes roulaient de plus en plus vite sur le visage de Mme McEvoy, et je me disais Son mari est mort, son fils aîné aussi peut-être, et maintenant voilà qu'elle doit partir de chez elle, abandonner tout ce qu'elle possède, et tout ce qu'il lui reste c'est un morveux qui ne pige rien à ce qui se passe, et elle n'a même pas pensé à lui emporter du lait.

On a roulé des siècles jusqu'à arriver devant un grand bâtiment fermier autour duquel étaient garées plein de Jeep de l'armée ; tout le monde est descendu et Frankie a dit On va rester ici un moment ; on est entrés, et c'était une énorme grange à foin bourrée d'armes, de sacs de couchage, etc. – tout ce qui indiquait que l'armée s'en servait de baraquement. Piper et moi on s'est trouvé un coin de grenier où personne n'avait encore mis ses affaires, on a posé les nôtres et on a attendu de voir ce qui allait encore arriver.

Alby s'amusait comme un petit fou à courir çà et là pour tout regarder, et nous, tout ce qu'on pouvait faire d'utile c'était essayer de l'empêcher de s'approcher des armes qui traînaient dans tous les coins. Pas question qu'il se fasse sauter le caisson par accident – là, pour sa pauvre mère déjà bien dérangée, ce serait la fin de tout.

Toute la journée les militaires ont continué à aller et

venir ; ils semblaient avoir des intentions définies, comme des fourmis qui vaquent à leurs petites affaires dans leur fourmilière en procédant avec ordre et méthode, jusqu'à ce qu'un pied vienne écrabouiller toute la structure.

Avec Piper, on a dormi un peu, puis comme il y avait des magazines qui traînaient on a emprunté ceux (très rares) qui n'avaient pas en couverture des photos extrêmement obscènes de femmes nues. Piper a fini par dire – comme pour s'excuser – qu'elle avait un peu faim ; elle est allée voir ce qu'elle pouvait trouver et elle est revenue avec une demi-miche de pain (un truc aussi difficile à trouver qu'un morceau de la Vraie Croix, par les temps qui couraient), plus un bloc qui sentait vaguement le fromage et qu'ils appelaient du *caillé*. C'était pas mauvais du tout.

En début de soirée les soldats sont rentrés de leur patrouille dans le « district » par détachements de trois ou quatre, et sont venus nous raconter ce qui se passait au-dehors – pas beau à voir d'après ce qu'on a cru comprendre, à cause des troupes ennemies jusque-là assez relax qui tout à coup devenaient hyperactives et toujours prêtes à passer à l'action, ce qui signifiait généralement tuer le plus possible de gens comme nous.

Évidemment je ne trouvais pas ça bien, mais au moins, ça correspondait plus à l'idée que je me faisais de la guerre.

Quoi qu'il en soit, beaucoup d'entre eux venaient nous parler ou reconnaissaient Piper pour l'avoir vue à la ferme, et personne ne disait Où est passé Jet ? ou Qu'est devenu le major Mac ? parce qu'on sentait tous qu'il valait mieux ne pas poser certaines questions.

Piper et moi on pensait plus ou moins la même chose, à savoir qu'au début on était cinq plus Jet, Gin et Ding, puis qu'on s'était retrouvés à trois en comptant Jet, et que maintenant on n'était plus que toutes les deux.

Si vous n'avez pas connu la guerre et que vous vous demandez combien de temps on met à s'habituer au fait de perdre tout ce dont on a besoin, tout ce à quoi on tient, je peux vous dire que la réponse est : pas longtemps.

22

Ça faisait bizarre de dormir dans une grange avec des soldats partout, et on se sentait bien moins en sécurité qu'on pourrait le croire avec tous ces fusils. Sans doute parce que les Méchants avaient sûrement envie de savoir où se cachaient les Bons pour leur tendre une embuscade. Mais de toute façon on n'y pouvait pas grand-chose.

Piper et moi avions un petit coin à nous, avec une espèce d'avancée en surplomb sous laquelle on se sentait protégées ; on a étalé les deux couvertures et roulé quelques vêtements en boule pour faire des oreillers ; puis j'ai eu l'idée d'aller voir comment s'en sortaient Alby et Mme McEvoy, s'ils avaient assez chaud, et oui, ils avaient assez chaud, mais non, ils ne s'en sortaient pas très bien. J'ai voulu rester un moment à parler à Jane, mais sans grand résultat car elle avait manifestement perdu les pédales, et en plus, les choses que je trouvais à lui dire me paraissaient idiotes.

Je ne pouvais pas me permettre de rester trop

longtemps avec elle au cas où le désespoir serait contagieux ; alors j'ai trouvé une excuse boiteuse et je suis remontée au grenier.

On s'est blotties l'une contre l'autre sous les couvertures malgré le bruit et les allées et venues tout autour de nous (les soldats préparaient à manger, nettoyaient leurs armes et se lançaient des blagues d'un bout à l'autre de la grange – pas le genre qu'on peut répéter, en général) ; mais finalement ils ont baissé les lampes-tempête et se sont couchés en montant la garde tour à tour, par rotations de quelques heures. J'ai déjà passé de meilleures nuits dans ma vie mais on commençait à s'accoutumer aux situations les plus bizarres, et celle-là n'était pas la pire.

Le lendemain matin, un militaire prénommé Baz qu'on avait connu à la traite est venu nous apporter des céréales, du lait et du thé ; on lui en a été tellement reconnaissantes, et lui, de son côté, était tellement raide dingue de Piper qu'il est resté le temps qu'on mange et nous a dit « tout ce qu'il savait ».

L'assassinat de Joe et du major Mac avait mis le feu aux poudres dans toute la région, il y avait eu des combats, et c'était justement ce qu'on avait voulu éviter. Apparemment l'Ennemi n'avait pas plus envie que nous d'en découdre : il l'avait prouvé en laissant notre armée tranquille pendant presque trois mois.

Mais maintenant tout le monde était mécontent et des tas de « ruraux » aussi bêtes que courageux s'armaient de fusils de chasse pour tirer à vue sur les chars, en échange de quoi ils se faisaient généralement massacrer.

Baz, lui, n'était pas bête, et il essayait d'être drôle pour nous remonter un peu le moral ; il a dit qu'on ne devait pas s'en faire et nous a trouvé des livres de poche d'un niveau pas très élevé pour passer le temps. Il a ajouté qu'il reviendrait nous voir le soir en rentrant de patrouille.

Il a tenu parole, et comme Piper était justement en train de donner un coup de main au cuistot, j'ai pris le risque de lui parler de mon plan pour rejoindre les frères de la petite, en lui faisant jurer le secret ; il a eu l'air drôlement inquiet à l'idée qu'on s'en aille toutes seules, mais n'a pas prononcé la phrase fatale (« Vous êtes folles ou quoi ? ») ce qui était plutôt encourageant.

Je lui demandé si à son avis il était possible qu'Isaac, Edmond et Osbert aient été relogés ensemble ; il a haussé les épaules et répondu Tout est possible mais c'est la pagaille partout. Il m'a regardée un moment comme pour jauger ce dont j'étais capable, et a fini par répondre On n'est nulle part complètement en sécurité. Vous n'êtes pas plus mal ici qu'ailleurs...

Puis il s'est interrompu, en faisant comme si son attention avait été attirée par un bruit, et puis il a repris :

Maintenant, si vous décidiez vraiment de partir toutes seules, si vous vous teniez à l'écart des routes et du danger en général, vous auriez une chance de vous en sortir. Le truc c'est d'éviter tout contact avec les individus non identifiés parce que tout le monde est crevé, les Ennemis jouent la montre et savent qu'ils ne rentreront jamais chez eux alors ils n'ont rien à perdre.

Là, il s'est de nouveau tu.

Car Piper revenait de la cantine improvisée avec de la soupe ; quand elle l'a vu elle lui a fait son beau sourire et s'est nichée dans le foin pour manger en se collant contre lui comme un chat.

Quand c'est la guerre, il y a de drôles d'alliances qui se forment – c'est une des choses qu'on ne peut pas s'empêcher de remarquer. On voyait bien que Baz n'avait jamais été aussi heureux de sa vie du simple fait que Piper venait s'asseoir près de lui, et il n'y avait vraiment rien de louche là-dedans. Il était évident qu'après avoir passé des mois et des mois avec des tas de grands gars qui sentent mauvais, qui rotent et qui pètent, la seule présence de Piper, avec ses grands yeux et son âme pure, lui donnait à espérer que l'occasion se présenterait de mourir pour elle. Moi je ne faisais jamais cet effet-là à personne, mais de toute façon, si on avait toutes les deux été des saintes ç'aurait été du gâchis.

Ce soir-là Baz a rapporté son sac de couchage et l'a installé en travers de notre coin de grenier. Je me suis réveillée au bout de plusieurs heures et il était toujours là, moitié assis moitié couché, bien réveillé, à monter la garde. Sa façon de nous jeter un coup d'œil de temps en temps pour voir si tout allait bien de notre côté m'a rappelé en tous points l'attitude de Jet.

23

On est restées comme ça presque une semaine, cantonnées avec divers membres de l'armée territoriale. Piper se retirait en elle-même plus souvent que d'habitude mais pour moi ce n'était qu'un chapitre dans ma nouvelle « vie normale », de plus en plus irréelle, et la plupart de temps je me sentais très calme, comme si rien ne pouvait plus me surprendre.

À part Mme McEvoy on était les seules personnes de sexe féminin au milieu d'une centaine d'hommes et plus, qui se comportaient avec nous comme si on était la reine et la princesse de Saba ; ils nous apportaient à manger, venaient bavarder ou jouer aux cartes avec nous, nous traitaient comme de précieuses mascottes ou des reliques sacrées, alors qu'en fait on était seulement deux gamines malpropres entourées de militaires dans une baraque crasseuse et sans fenêtres à attendre que la guerre nous rattrape.

Pour la plupart, ils étaient gentils comme personne ne l'était « avant » – dans l'ancien temps, quand on avait encore dans son cercle d'amis et de vagues copains des gens qui n'avaient rien à voir avec l'armée. C'étaient sans doute des gars tout à fait normaux qui ne s'attendaient certainement pas à être rappelés un jour quand ils s'étaient enrôlés dans l'armée de réserve. En général on voyait qu'ils se sentaient seuls, qu'ils en avaient marre et que, tout autant que nous, ils mouraient d'envie de rentrer chez eux reprendre le fil de leur ancienne vie.

Comme il n'y avait guère d'autre sujet de conversation que la guerre je leur posais tout le temps des questions pour savoir comment camper et survivre en pleine nature, trouver à manger, tous ces trucs-là ; je doute fort qu'ils se soient demandé pourquoi ça m'intéressait tellement d'apprendre à survivre toute seule parce que de toute façon, c'était un thème sur lequel ils adoraient broder à l'infini.

Ils ne nous incitaient pas tellement à sortir, alors on lisait un peu, on donnait un coup de main au mess, on dormait. Ça ne changeait pas tellement de notre passage chez les McEvoy sauf qu'il y avait beaucoup plus de gens à qui parler, et avec tout le temps dont je disposais je me demandais pourquoi la vie dans une grange sans fenêtres à des milliers de kilomètres de l'Amérique et avec des soldats partout me paraissait plus réelle que tout ce que j'avais pu vivre jusqu'ici ou presque.

On s'habituait à ce que Baz monte la garde près de nous pendant qu'on dormait, à ce que les soldats nous apportent à manger et à ce que des gars tout timides d'une vingtaine d'années viennent nous trouver l'air de rien et entament maladroitement la conversation juste histoire d'avoir quelque chose à faire. Même les bruits – dont certains n'auraient pas fait très bonne impression en société – que faisaient tous ces hommes autour de nous finissaient par être rassurants, d'une certaine manière.

Baz semblait doté d'un statut particulier vu qu'il veillait sur Piper, et après la première rencontre ils se sont installés dans une espèce de relation frère/sœur – ça devait venir du fait que dans sa vie passée, la petite n'avait guère connu autre chose, avec tous ces frères. Baz était plus normal que les vrais, mais il avait un côté impassible et constamment sur le qui-vive qui me faisait penser à eux. Qui se ressemble s'assemble, je suppose.

Mais de toute évidence, ces histoires de « scouts qui campent tous ensemble dans la joie et la bonne humeur », ça ne pouvait pas durer éternellement.

Quelques jours plus tard, vers quatre heures du matin, on a été réveillées par des cris et un véritable branle-bas de combat, et Baz qui nous disait Rassemblez vos affaires et Ne bougez pas d'ici. Puis il a disparu dans la pagaille ambiante et on n'y voyait rien parce qu'il n'y avait presque pas de lampes allumées, mais tout à coup il y a eu des coups de feu et il est revenu nous chercher ; il nous a fait passer par la porte de l'étable, à l'arrière, là où se trouvaient les latrines, il a pris nos affaires et nous a dit de le suivre. On a couru, couru et j'avais tellement mal aux poumons que j'ai cru qu'ils allaient éclater et je n'arrêtais pas de trébucher parce que c'était une nuit sans lune et qu'il faisait noir comme dans un four, et finalement on a atteint une clairière ; on s'est arrêtés, hors d'haleine, et Baz nous a dit Vous voyez là-bas, où le ciel est un peu plus clair ? C'est l'est ; marchez dans cette direction et regardez la boussole en allant toujours nord-nord-est, et non pas nord-est, sinon vous allez passer à côté de votre but.

J'étais contente de savoir ça car en étant originaire d'une ville dont tous les natifs savent qu'*uptown* est au nord et *downtown* au sud mais pas grand-chose d'autre, j'ignorais tout de la différence entre nord-est et nord-nord-est, et j'étais ravie que quelqu'un nous initie à ce secret.

Entre-temps Piper avait compris que Baz nous plantait là ; elle s'est mise à pleurer et il l'a prise dans ses bras comme si elle ne pesait pas plus lourd qu'une poignée de foin en la serrant de toutes ses forces et en l'embrassant sur la joue, avant de lui dire Daisy s'occupera bien de toi ; il m'a lancé un clin d'œil derrière le dos de la petite comme si on était de mèche lui et moi, ce qui était peut-être le cas.

Puis il l'a serrée une dernière fois contre lui et m'a fourré un paquet assez lourd dans les mains, mais je n'ai pas eu le temps de voir ce que c'était que déjà il repartait en courant d'où on était venus.

Allez, viens, Piper, j'ai dit, continuons pendant qu'il fait encore sombre ; après on se trouvera une cachette et on se reposera quand il fera jour.

On a avancé ; maintenant les coups de feu ne faisaient pas plus de bruit que des bouchons qui sautent. J'ai dit à Piper que je savais où se trouvaient Isaac et Edmond, que j'avais une carte, que j'avais parlé de mon projet à Baz et tiré les vers du nez de tous les soldats du campement pour savoir comment survivre en pleine nature. Elle a paru considérablement rassurée par toutes ces informations inattendues et j'ai ajouté Dès que le soleil se lèvera on cherchera un endroit où « bivouaquer » et on a éclaté de rire toutes les deux parce que j'employais la terminologie des scouts. Non mais c'est vrai, j'ai répliqué, c'est comme ça que ça s'appelle !

Le moment est bien choisi pour expliquer que les sentiers sont une bénédiction pour les gens qui veulent couvrir de grandes distances à pied en restant loin des routes. En Amérique on aurait sans doute dû se frayer un chemin tant bien que mal dans le sous-bois mais ici la nature était bien civilisée, et la moitié du temps il y avait des flèches indiquant la direction de petits portails qu'il fallait escalader, et quand on s'est retrouvées en dehors des terres rattachées à la ferme, en terrain beaucoup plus découvert, sans clôtures ni rien, il y avait quand même des traces de sentier.

On avait l'impression d'être à des milliers de kilomètres de tout être humain ; la nuit a été froide, mais vers huit heures et demie du matin, quand j'ai jugé qu'il fallait trouver une planque, le soleil s'est levé et on a commencé à se réchauffer.

Le sentier qu'on suivait était bordé d'un côté par une série de murets de pierres couverts de mûriers et autres ronces ; juste derrière il y avait des arbres pas très grands et même s'ils ne dépassaient pas un mètre de haut, les taillis sont vite devenus assez denses, ce qui nous permettait de garder le cap.

On ignorait complètement si on risquait quelque chose ou pas à se balader dans le coin. Un soldat m'avait dit que des centaines de gens se dirigeaient vers les campagnes pour fuir les combats et se planquer en attendant que ça se calme, ce dont j'avais déduit qu'il y aurait autant de monde que dans un centre commercial. D'un autre côté, je devinais qu'il y avait bien assez de sentiers pédestres en Angleterre et que le réfugié moyen n'aurait pas tellement envie de se faire de nouveaux amis. D'après le soldat en question on avait surtout des chances de rencontrer des Anglais mais il avait ajouté Ça ne veut pas dire qu'ils ne vous tireront pas dessus.

J'avais du mal à croire qu'une bande de soldats ennemis iraient passer leur temps libre à se faufiler dans les fourrés en cherchant des individus isolés à abattre, mais je jugeais quand même préférable de rester discrètes le plus longtemps possible, du moins tant qu'on avait la certitude que le monde entier avait perdu la boule.

Quand le soleil est devenu trop chaud on a décidé de s'arrêter pour se reposer et on a trouvé un endroit sec à une quinzaine de mètres du sentier, invisible du moment qu'on restait assises ou couchées, ce que de toute façon on avait envie de faire.

Le paquetage que m'avait remis Baz et qui m'avait paru si lourd sur le coup l'était devenu de plus en plus, alors je n'étais pas fâchée de le poser par terre, de comprendre comme on défaisait le rabat et de découvrir que ça valait la peine de l'avoir trimballé. En effet il contenait tout ce qu'on aurait *dû* penser à emporter, genre une bouteille d'eau en plastique, du pain de mie, un gros morceau de fromage, du salami, des allumettes, une grande bâche légère en plastique, bien pliée, une corde en nylon et une petite gamelle. Plus une arme. J'ai remis les allumettes et l'arme dans le sac en prévision des cas d'urgence, puis rangé les autres articles et le reste avec nos couvertures et nos propres provisions, c'est-à-dire les olives et la confiture. Histoire de nous remonter le moral pour notre premier jour de voyage, j'ai fait des sandwichs à la confiture pour le petit déjeuner. Ils avaient un goût d'espoir.

On a bu un peu d'eau, et comme le soleil commençait à taper on s'est couchées dans l'herbe et si on n'avait pas été en fuite sans savoir où aller on se serait senties presque heureuses. Après avoir dormi quelque temps on a ramassé des mûres, on les a mangées, et il régnait un tel silence autour de nous, à part les oiseaux et les insectes, qu'on a résolu de se remettre en route en plein jour ; c'est peut-être une bonne idée en théorie de se déplacer la nuit mais c'est plus facile à dire qu'à faire quand on ne sait pas du tout où on va et qu'on ne voit pas la lune. Suivre le sentier et garder en même temps un œil sur la boussole, c'était déjà assez compliqué de jour vu que le sentier allait légèrement vers le sud-est et que nous on devait filer nord-nord-est, mais je me suis dit qu'on essaierait d'obliquer vers le nord dès qu'on en aurait la possibilité.

Heureusement ce n'étaient pas les mûres qui manquaient et faute d'autre chose on en mangeait par poignées ; ça nous a donné mal au ventre mais comme le goût était délicieux on s'en fichait.

On a marché quatre ou cinq heures, puis quand le soleil a décliné on a cherché un endroit où passer la nuit ; à un moment on a vu une maison mais elle avait brûlé et il ne restait plus qu'un mur debout alors on a fait un grand détour. La température baissait rapidement maintenant qu'on était en septembre ; on ne pouvait pas vraiment dire qu'il faisait froid mais on n'était pas non plus des troupes de choc, et on sentait bien qu'on n'avait pas intérêt à passer la nuit à la belle étoile. Donc on s'est arrêtées pendant qu'il y avait encore un peu de lumière, on s'est débrouillées pour attacher la corde d'un côté à un arbre et de l'autre à un bâton qu'on a enfoncé dans le sol comme un piquet de tente ; on a tendu la bâche pardessus et maintenu le tout en place en posant des cailloux sur les bords. Ça s'est cassé la figure au moins cent cinquante fois avant qu'on trouve comment faire tenir le tout, puis on s'est coulées dessous avec nos couvertures et ce n'était pas très confortable, mais on avait l'habitude de coucher par terre maintenant, et puis on était crevées alors on a réussi à s'endormir.

Il a plu un peu pendant la nuit mais on est restées à peu près au sec ; par ailleurs la pluie s'est amassée dans un creux de notre tente improvisée et au matin on y a bu directement pour économiser l'eau de notre bouteille, et parce qu'on avait très soif. On s'était toutes les deux fait piquer par je ne sais quelle bestiole pendant qu'on dormait et ça ne m'a pas mise de bonne humeur d'avoir la figure couverte de cloques qui démangeaient, les cheveux tout en bataille et pas de brosse à dents, sans compter que je me sentais cradingue vu que je n'avais pas pu me laver depuis une éternité. Heureusement que j'étais trop maigre pour avoir mes règles sinon là, j'aurais vraiment craqué.

On a remballé nos affaires mais cette fois j'ai fait deux paquetages. J'ai pris le gros et Piper le petit. Si on les portait en travers sur le dos c'était moins pénible qu'on pourrait le croire et de toute façon on n'était pas pressées.

On a marché, marché, marché... Le sentier s'orientait de plus en plus vers le nord, ce qui nous arrangeait bien, et quand il s'est remis à pleuvoir on a fait halte pour se reposer, se mettre sous la bâche ainsi que notre barda, et recueillir un peu d'eau dans la gamelle par la même occasion.

On était ensemble depuis tellement longtemps, toutes les deux, qu'on n'avait plus besoin de se parler au-delà du strict nécessaire. On était fatiguées, on avait faim, on ne savait plus où on était, on avait mal aux pieds et de toute façon il n'y avait pas grand-chose à dire ; j'étais bien contente qu'elle ne soit pas le type de gamine à demander tout le temps Quand est-ce qu'on arrive ? parce que non seulement je n'aurais pas su lui dire quand, mais je ne savais pas non plus où et je n'avais pas tellement envie de répondre à ce genre de question.

On s'est donc reposées. Puis remises en marche. On a dépassé une autre maison qui avait brûlé. On a trouvé un soulier d'enfant abandonné sur le sentier. On a continué à marcher. On s'est encore reposées un peu. Et on est reparties. On n'a vu personne, mais des signes montraient que des gens étaient passés par là. Des vêtements au rebut. Des papiers. Un chat mort. On a entamé nos provisions et bu un peu d'eau ; de temps en temps seulement on se demandait ce qu'on allait trouver au bout du chemin.

On aurait pu avancer encore une heure ou deux mais vers le milieu de l'après-midi on est tombées sur une espèce de cabane à moitié écroulée qui n'avait pas brûlé, un peu à l'écart du sentier, alors on est passées par-dessus le mur et on s'est frayé un passage dans les hautes herbes et les buissons pleins de piquants ; on l'a trouvée assez grande pour s'y allonger et assez sèche bien que ça sente le bois pourri. On était soulagées comme si on avait pris une chambre dans un hôtel cinq étoiles et avant que la pluie se remette à tomber on a ramassé des brassées d'herbe pour se fabriquer un nid douillet où récupérer confortablement, puis j'ai ouvert nos deux sacs à dos et étendu les couvertures ; c'était super-agréable, et assez civilisé, en fait, si on ne tenait pas compte des araignées.

Piper, qui était allée cueillir des fleurs pour décorer notre nouveau foyer, comme si on était parties pour y rester des années, a tout à coup crié Daisy ! et mon cœur a fait un bond ; je me suis ruée dans la direction de sa voix et elle m'a dit Regarde ! Je n'ai rien vu qu'un arbuste avec dessous des glands entourés d'un genre de papier mâché, mais elle s'est écriée Des noisettes !

J'avais bien de la chance d'avoir Piper comme fidèle camarade parce que dans ces circonstances j'aurais été bien en peine de reconnaître une noisette ; on en a ramassé de quoi remplir une chemise, on les a cassées en les tapant sur un caillou et on en a engouffré autant qu'on a pu sans que ça nous fasse vomir – je me demandais pourquoi les noisettes n'étaient pas davantage considérées comme un mets de choix.

Une fois qu'on en a eu mangé au moins un millier, on en a ramassé encore autant qu'on pouvait et, après les avoir cassées, on les a rangées avec le reste des provisions, on a mangé quelques olives, un peu de pain, puis des mûres pour le dessert.

Comme on n'avait plus rien à faire que ressentir cruellement la faim et la soif, sans parler des ampoules aux pieds, on s'est endormies, et pour nous réveiller il a fallu que le monde entier se mette à résonner sous les coups de tonnerre au-dessus de nos têtes, mais à ma grande surprise la cabane a tenu : du moment qu'on évitait le côté gauche et qu'on tassait le plastique d'une façon bien précise dans le trou du toit, on ne se faisait pas tremper jusqu'aux os et on pouvait même se rendormir. En plus la pluie avait un effet dissuasif sur les insectes, ce qui représentait un bénéfice inespéré.

En plein orage je me suis rappelé la gamelle en métal ; je l'ai attrapée, j'ai filtré les trucs qui flottaient à la surface et j'ai bu. Puis je l'ai remise dehors et dix minutes plus tard elle était pleine, alors j'ai réveillé Piper pour qu'elle boive aussi tant qu'on avait de quoi. Après quatre bols chacune on s'est senties beaucoup mieux à part les crampes d'estomac qui devaient être dues soit à l'eau froide soit aux noisettes ; j'ai rempli la bouteille et je me suis recouchée.

Quand on s'est levées il pleuvait toujours et on ne voyait pas l'intérêt de quitter notre *home sweet home* tant que ça n'était pas strictement nécessaire. On trouvait suprêmement idiot de mouiller nos vêtements et nos couvertures vu qu'on n'en avait pas d'autres.

Piper avait l'air rêveur et semblait plutôt bien à chantonner toute seule sous ses couvertures ; alors comme je mourais d'envie de me décrasser j'ai décidé de profiter de la pluie et de la gamelle pour prendre une espèce de douche, ce qui, sans savon, n'était pas très efficace. Puis je suis rentrée, je me suis rhabillée et blottie contre Piper pour me réchauffer ; après, on a joué à un jeu super-compliqué, le Jotto mental, qui consistait à essayer de mémoriser combien le mot à cinq lettres auquel pensait l'autre comportait de lettres prises dans un nombre donné de mots différents, et c'était tout juste assez prise de tête pour passer le temps.

Elle venait de deviner Patin et c'était mon tour, mais comme après avoir essayé Bacon, Câble et Chéri je n'ai plus obtenu de réponse j'ai dit Piper ? Elle dormait à poings fermés. Je suis restée un moment à écouter la voix d'Edmond dans ma tête ; elle était calme, familière, légèrement nostalgique. Je me suis peu à peu détendue, j'ai tout oublié à part lui et une journée de plus a pris fin.

24

Là je vais vous apprendre quelque chose qui va vous en boucher un coin : il s'avère que mon prof de math de cinquième avait raison sur un point, à savoir qu'un jour j'aurais besoin de connaître la réponse à la question suivante : si x = Piper et Daisy, y = six kilomètres/heure, z étant égal au transport manuel de six kilos de charge, n = cap nord-nord-est et 4J = quatre jours, de combien de distance l'équation $x\ (y + z) + n \times 4J$ nous rapprochait-elle de Gateshead Farm ? Il va sans dire que cette année-là je n'avais rien écouté en maths.

Notre sentier a croisé successivement quatre routes goudronnées à une voie mais à part une vache qui passait on n'a rien vu de plus gros qu'un hérisson. De temps en temps on apercevait une grange, et une fois une rangée de petites maisons, mais elles avaient l'air désertes et on n'a pas eu envie de vérifier.

Le sentier changeait tout le temps de direction mais globalement on tenait plus ou moins le cap. Pourtant, je repensais tout le temps à un documentaire que j'avais vu à la télé sur les systèmes de navigation des baleiniers, où on disait que la plus petite erreur de trajectoire pouvait leur faire manquer de huit cents kilomètres l'île qu'ils visaient.

À un carrefour on a vu un panneau indicateur qui disait STRUP – 400 m et STRUP-EST – 800 m. J'étais tellement contente de pouvoir me repérer que mes mains tremblaient presque trop pour déplier la carte, mais quand j'ai enfin réussi à trouver l'endroit où on aurait *dû* se trouver je n'ai rien vu qui ressemble ni de loin ni de près à Strup ; Piper a dit Si ça se trouve ce n'est qu'un hameau trop petit pour figurer sur la carte.

Alors je me suis bêtement mise à pleurer ; j'étais complètement asphyxiée par le désespoir et l'impression d'être nulle, je me trouvais grotesque d'entraîner Piper sur des kilomètres et des kilomètres à travers la campagne anglaise pour dénicher sur une carte un truc de la taille d'un microbe alors que dans ma vraie vie je n'étais même pas fichue de trouver des sous-vêtements propres dans la commode de ma chambre. Malheureusement personne ne s'est pointé juste à ce moment-là pour proposer de prendre la direction des opérations et en voyant Piper qui restait là à me tenir la main en attendant que j'arrête de pleurer j'ai retrouvé le courage de me remettre en marche.

Après les noisettes on a trouvé un pommier et encore des mûres, mais nos chances de tomber sur un bon sandwich au jambon semblaient minces et nos provisions, qui baissaient dangereusement, étaient presque épuisées. Heureusement il pleuvait de temps en temps, ce qui fait qu'on pouvait reconstituer notre stock d'eau, mais d'un autre côté ça rendait le sol glissant, et les baskets trempées qui frottent sur les ampoules aux pieds, ce n'est pas l'idéal, alors question chance, ça s'arrêtait là.

Ce jour-là on a déjeuné vers onze heures du matin mais on n'a même pas pu étaler de couverture tellement le sol était détrempé ; on a dû se jucher sur des rochers alors qu'on aurait donné n'importe quoi pour s'étendre au chaud et au sec ; j'étais en train de déballer notre dernier morceau de fromage pour aller avec les dernières noisettes plus quelques olives quand tout à coup Piper a dit Daisy ? Je l'ai regardée et elle m'a demandé C'est quoi ce bruit ?

J'ai tendu l'oreille mais je n'ai rien capté du tout. Seulement, comme elle faisait la même tête qu'Isaac et Edmond dans certains cas j'ai su qu'elle entendait vraiment quelque chose ; restait à espérer que ce ne soit pas trop horrible. Mais tout à coup un sourire d'au moins mille watts a éclairé son visage et elle a lancé La rivière ! Je suis sûre que c'est la rivière !

On a laissé là toutes nos affaires pour dévaler le sentier et effectivement, au bout d'une centaine de mètres on est arrivées à un cours d'eau, et quand on a regardé la carte on a acquis la quasi-certitude que c'était NOTRE rivière à NOUS, et que si on réussissait à la suivre sans trop s'égarer elle nous emmènerait exactement où on voulait aller.

On a dansé sur place en poussant des youpi et des éclats de rire, et en se serrant dans nos bras, puis on est retournées en courant chercher nos affaires, on les a remballées et on est reparties d'un pied léger au lieu d'avoir la tête lourde à cause de la faim pour la première fois depuis des jours ; on a marché jusqu'au coucher du soleil puis dressé le camp au bord de l'eau.

Il ne faisait pas chaud mais on s'est quand même déshabillées et trempées dans la rivière pour se laver et c'est là que je me suis vraiment rendu compte de la maigreur de Piper ; d'ordinaire j'aurais trouvé ça bien mais là, je me suis dit Voilà ce qui arrive quand on a neuf ans et pas assez à manger pour pousser normalement.

Une fois dans l'eau glaciale qui coulait tout autour de nous on s'est décrassées comme on a pu, et sans la saleté on était toutes les deux blêmes comme des fantômes à part le bronzage attrapé à la ferme sur la figure, le cou et les bras. Sur toute cette peau blanche les marques se détachaient très nettement, comme des hiéroglyphes rouges retraçant notre épopée. On avait toutes les deux les pieds couverts d'ampoules à vif ou à moitié guéries, et les bras et les jambes tout griffés vu qu'à force, on était trop fatiguées pour écarter les ronces sur notre passage, sans parler des piqûres d'insectes qu'on avait grattées jusqu'au sang, et partout des plaques de boutons dues aux orties ; moi j'avais en plus une grande égratignure qui suppurait et m'obligeait à boiter tellement elle me faisait mal quand je voulais plier le genou.

À part ça on était pleines de bleus à force de dormir sur les cailloux : une fois couchées on était trop crevées pour se relever et se mettre plus à l'aise.

On est ressorties de l'eau frissonnant comme des malades mais plus ou moins propres, et en essayant de ne pas trop se regarder l'une l'autre car le spectacle était trop déprimant ; on est restées un moment comme ça dans l'air frisquet du début de soirée pour que la brise nous sèche : ne pas mouiller les couvertures était devenu une obsession absolue.

Autant pour les idées d'aller mener une vie saine à la campagne.

Le lendemain on s'est remises en route en suivant le sentier, qui heureusement longeait la rivière, et au bout d'une demi-journée cette dernière a formé un coude ; alors, pour la toute première fois depuis Reston Bridge, on a su PRÉCISÉMENT OÙ ON ÉTAIT.

Je me suis remise à pleurer et Piper m'a dit en riant de ne pas gaspiller l'eau ; mais je ne pouvais pas m'arrêter parce que je pleurais à la fois de soulagement et d'incrédulité, et que même si on savait maintenant qu'on n'avait pas couvert autant de chemin qu'on avait espéré, au moins on était dans la bonne direction et on savait où aller.

D'après la carte il nous restait trente kilomètres ; or, un jour où j'avais participé à une marche contre la pauvreté ou je ne sais quoi à New York j'en avais fait trente-trois en un jour – et à l'époque non plus je n'avais pas beaucoup mangé.

Ce soir-là je me suis glissée dans le coin de ma tête où je pouvais parler à Edmond et pour une fois j'ai appris de bonnes nouvelles.

25

Le fait de suivre la rivière a tout de suite changé notre vie. Maintenant on savait en gros où se diriger et je n'étais plus obligée de passer des heures à jongler avec la boussole et la carte, tout ça dans un perpétuel état d'égarement paniqué en me demandant si on n'aurait pas par hasard tourné en rond, et si on ne marchait pas par erreur vers l'Écosse ou l'Espagne.

Par ailleurs, le fait de savoir quelle distance il nous restait à parcourir nous aidait à calculer la quantité de nourriture qu'on pouvait consommer ; on n'était pas mieux loties qu'avant mais au moins on était rassurées : il ne faudrait pas faire durer un mois notre demi-pot de confiture de fraise et notre bout de salami de trois centimètres d'épaisseur.

Piper trouvait tout le temps des champignons dont elle disait qu'ils étaient bons à manger ; jusqu'ici je n'étais pas très chaude, au cas où elle se tromperait et où on serait intoxiquées, mais elle semblait tellement sûre d'elle et les champignons étaient tellement nombreux que je commençais à me dire Si on ne varie pas un peu le menu on va crever de désespoir avant même de mourir de faim, alors on a décidé de faire cuire notre premier plat de champignons au salami, et voilà comment on s'y est prises.

D'abord, on a planté ce qui nous tenait lieu de tente et attendu la nuit pour que personne ne voie la fumée, puis on a ramassé des herbes sèches qu'on a empilées à côté d'un tas de brindilles et autres bouts de branchages bien morts et bien secs aussi ; puis on a été chercher des cailloux sur la rive, on les a disposés en cercle en en gardant quelques-uns pour équilibrer la gamelle et enfin on a enflammé l'herbe avec une allumette et attendu que ça prenne ; là on a ajouté les brindilles lentement. Il a fallu deux tentatives et quatre allumettes, et les brindilles n'étaient pas si sèches que ça finalement, mais au bout d'une vingtaine de minutes on avait un joli petit feu.

Ça doit être un phénomène bien connu, mais quand on regarde fixement un feu alors qu'on est déjà par ailleurs à moitié dingue à cause des privations de toutes sortes, on est instantanément hypnotisé. J'ai dû faire un suprême effort de volonté pour en détacher les yeux sinon Piper et moi on y serait encore aujourd'hui à plonger notre regard dans les flammes en savourant leur chaleur sur notre visage et nos mains, toutes fières d'avoir fabriqué une chose aussi sauvage et efficace même si on avait la chance de disposer d'allumettes, et pas seulement de petits bâtons à frotter, ce qui facilite quand même la tâche.

Laissant Piper contempler le feu, j'ai coupé un petit bout du reste de salami, puis je l'ai réduit en miettes que j'ai mises dans la gamelle ; il était tellement gras qu'il a fondu presque aussitôt. Ensuite j'ai rajouté six gros champignons coupés en lamelles, plus, lentement, quelques petits bleus qui, d'après Piper, s'appelaient justement des « pieds bleus ».

J'ai improvisé un couvercle avec un bout d'écorce qui s'est mis à fumer sur les bords, puis à prendre carrément feu, ce qui m'embêtait quand il fallait l'enlever pour remuer les champignons. Je me suis brûlé huit doigts sur dix en enlevant la gamelle du feu pour éviter que le tout ne soit carbonisé, ce qui m'a pris presque une heure ; mais pour finir, comme les morceaux de champignons avaient assez bruni et rapetissé on a attendu qu'ils refroidissent un peu, et vous n'imaginez pas à quel point ça peut être bon un truc qu'on a trouvé dans un champ, surtout avec les petits bouts de salami qui restaient, salés, un peu roussis et bien croustillants.

En commençant à manger j'ai songé tout à coup Dire que je crève de faim depuis tout ce temps ; et sans m'en rendre compte, je l'ai dit à voix haute ; Piper a répondu Moi aussi, sans même lever la tête, mais j'ai pensé Ça non, ma petite, pas au sens où je l'entends moi. Et j'espère que ça ne t'arrivera jamais.

Quand on a eu mangé tous les champignons on a lavé la gamelle dans la rivière, puis, pour le dessert, mélangé deux poignées de mûres dans un peu de confiture de fraise ; on est reparties laver la gamelle et on a fait chauffer de l'eau qu'on a bue à petites gorgées en faisant comme si c'était du thé, et l'espace d'une heure on s'est senties remplies de contentement et de bonnes choses bien chaudes.

Puis on a éteint le feu et on est allées se coucher.

Deux ou trois heures plus tard je me suis réveillée et j'ai vu Piper assise à côté de moi, les yeux grands ouverts et l'air terrorisé. Je me suis assise à mon tour, mais je ne voyais ni n'entendais rien de spécial alors j'ai dit Quoi ? Qu'est-ce qu'il y a ? Mais en même temps elle s'est mise à hurler et j'ai pratiquement dû l'étouffer pour la faire taire tellement j'avais peur qu'on nous entende.

Elle se débattait comme quelqu'un qui a une crise de nerfs en essayant de me griffer le visage et j'ai pensé qu'elle avait peut-être été intoxiquée par les champignons finalement. NON ! qu'elle criait ; je croyais qu'elle s'adressait à moi mais ses yeux étaient complètement révulsés et même si je lui plaquais une main sur la bouche elle n'arrêtait pas de hurler ASSEZ ASSEZ ! ! ! et je me concentrais tellement sur elle que, quand j'ai fini par l'entendre, le bruit dans ma tête m'a prise complètement par surprise. Ça a commencé doucement, comme une pulsation lointaine, et pendant une seconde j'ai regardé autour de moi comme une folle en me disant que ça devait se passer près de nous, mais non, tout était calme et désert dans le coin, à part les bruits de la nature et de la nuit.

Petit à petit, par-dessus la pulsation, j'ai commencé à entendre quelque chose comme une bande passée trop vite si bien que les voix deviennent des couinements bizarres comme les voix d'extraterrestres dans les dessins animés, puis j'ai entendu des gens crier et pleurer, et leurs voix étaient à présent si fortes, si désespérées, l'ensemble était tellement horrible que j'ai dû me prendre la tête à deux mains et les supplier ASSEZ ASSEZ ASSEZ ! ! !

Piper ne criait plus ; elle était recroquevillée par terre, les yeux hermétiquement clos, les mains plaquées sur les oreilles. Elle avait l'air tellement terrifié que je me suis forcée à m'approcher pour essayer de la consoler mais chaque fois elle me donnait des coups de pied et des coups de poing alors j'ai battu en retraite et elle s'est mise à se balancer d'avant en arrière comme un petit gamin d'orphelinat à moitié cinglé qui cherche à se rassurer tout seul.

Pendant tout ce temps le vacarme dans ma tête était de plus en plus sonore ; je voulais à tout prix lui échapper mais rien n'y faisait ; la seule solution que j'ai trouvée c'était d'émettre une note tenue du fond de ma gorge ; au bout d'un moment le bruit a diminué, puis la pulsation a disparu à son tour, le silence s'est à nouveau fait autour de nous et j'ai vomi.

Piper a fini par rouvrir les yeux, se mettre péniblement à genoux et me regarder d'un air affolé, égaré, comme une bête sauvage aux abois, en disant Il faut aller les aider !

Ça m'a mise en colère ; j'ai dit Qui ça ? en songeant que c'était plutôt nous qui avions besoin d'aide si on était sur le point de mourir toutes seules dans les bois pour avoir mangé des champignons toxiques. Mais elle ne m'a pas répondu ; elle a continué à répéter inlassablement Il faut aller les aider Il faut aller les aider comme une bande magnétique folle qui tourne en boucle.

C'était une nuit absolument sans lune et il était inutile de chercher à avancer parce qu'il faisait tellement noir qu'on ne voyait même pas le sentier ; Piper avait beau vouloir absolument se mettre en route, même elle, elle se rendait compte que c'était inutile tant qu'on n'aurait pas au moins un peu de lumière.

On a bien essayé de se rendormir mais en vain, alors on a attendu en frissonnant dans le froid de la nuit jusqu'à ce qu'il fasse assez jour pour partir. Puis on a marché, marché sans arrêt jusqu'à la tombée de la nuit et là, on s'est littéralement écroulées. On n'avait même plus le courage de monter la tente ; on a juste étalé les couvertures par terre et j'avais constamment l'impression de sentir des insectes me marcher dessus et des cailloux pointer sous mes os, sans compter que Piper n'arrêtait pas de sortir de son demi-sommeil en sursautant ; finalement, c'est quand le ciel a commencé à s'éclaircir qu'on s'est endormies, comme des vampires.

Quelques heures plus tard on s'est réveillées angoissées et tout en sueur ; on s'est remises en marche, là encore aussi vite que possible, compte tenu de l'épuisement et de la faim, dans une espèce de mutisme vide et désespéré.

Ni l'une ni l'autre n'a plus reparlé de la nuit des champignons.

Deux jours avaient passé depuis qu'on était arrivées au coude de la rivière et je calculais que si on ne s'était pas perdues en route, encore un jour de marche et on serait à Kingly.

Je m'efforçais de ne pas imaginer ce qu'on y trouverait.

Mais ça ne servait à rien d'y penser à l'avance. Sinon ma tête risquait de décider qu'il valait mieux faire demi-tour.

26

Le sentier a fini par déboucher sur une petite route goudronnée pleine de virages où deux voitures n'auraient pas eu la place de se croiser. Elle était profondément encastrée entre deux talus eux-mêmes plantés d'une haie, si bien qu'on avait la sensation de se tenir dans une tranchée de trois mètres avec par-dessus un couvercle gris : le ciel.

Des oiseaux allaient et venaient à toute allure autour de ces haies en s'égosillant ou en poussant des cris rauques ; ils devaient se demander ce qu'on faisait là puisque depuis plusieurs mois maintenant, le monde leur appartenait. On n'était tranquilles ni l'une ni l'autre à l'idée de marcher sur une route à découvert, sachant qu'une voiture pouvait à tout moment arriver derrière nous, parce qu'on ne pourrait pas filer se cacher sans escalader d'abord une pente de trois mètres. Mais malgré l'inquiétude on était aussi tout heureuses de se dire qu'enfin, on allait peut-être arriver QUELQUE PART.

Si on se basait sur la carte on était à moins d'un

kilomètre et demi de Kingly, mais à défaut de rencontrer un gentil policier ou une aimable laitière qui nous indique Gateshead Farm, on en ignorait complètement le chemin.

Sur quelques centaines de mètres on a longé un petit nombre de maisons abandonnées, aux portes et fenêtres condamnées par des planches, pour arriver enfin à un panneau indiquant Kingly, Hopton et Ustlewhite, alors on a simplement continué à marcher en gardant espoir et là-dessus, voilà qu'après un virage, on tombe sur un écriteau à demi effacé annonçant Gateshead Lane ! Là, Piper et moi, c'est tout juste si on ne s'est pas mises à courir. J'avais beau essayer de me calmer, je n'arrivais pas à empêcher que mon cœur cogne contre mes côtes sous le coup de l'espoir et l'enthousiasme ; quant à Piper, elle avait le rouge aux joues, ce qui n'était pas naturel chez elle.

Après pas tout à fait un kilomètre on a commencé à se dire qu'on n'était peut-être pas sur la bonne route, mais on a continué à avancer vu qu'il n'y avait rien d'autre à faire, et enfin on a repéré un panneau, puis un portail et deux ou trois machines agricoles genre moissonneuses-batteuses, abandonnées en pleine moisson, et mon impatience nerveuse s'est peu à peu muée en sentiment de sombre angoisse quand on a passé le portail parce que décidément, l'ambiance ne me plaisait pas ici.

On ne voyait pas bien les bâtiments de la ferme depuis la route, mais comme un tas d'oiseaux tournaient en rond sur notre gauche c'est par là qu'on s'est avancées, prudemment, pour découvrir en tournant à un angle le corps de ferme mais pas âme qui vive, et maintenant, je n'avais plus qu'une envie c'était prendre mes jambes à mon cou parce qu'on n'avait pas besoin d'être un enfant prodige pour piger que si tous ces oiseaux survolaient ce coin-là, ce n'était pas pour rien.

J'avais pensé à ce qu'il faudrait faire si la ferme avait été réquisitionnée par l'Ennemi, si Isaac, Edmond et tous les autres avaient été faits prisonniers, mais il fallait que je fasse comme s'ils étaient toujours vivants vu qu'aucun être sensé ne peut survivre une semaine en marchant sans arrêt et en se nourrissant exclusivement de rations de survie en étant persuadé qu'un désastre l'attend au bout du chemin.

Mais on ne choisit pas toujours ce qui nous attend au bout du chemin.

Mettez-vous à notre place une minute ; imaginez que vous débarquez par une journée d'automne aussi grise que menaçante dans un endroit désert qui aurait dû être plein de gens, d'animaux, de vie, et qu'au lieu de ça vous ne trouvez rien, pas trace de qui que ce soit, rien qu'une absence de bruit totalement irréelle et rien qui bouge à part ces gros oiseaux noirs en l'air et des vols entiers de corneilles posées là, parfaitement immobiles, à nous regarder.

Et c'est là qu'on a vu les renards.

Mon premier mouvement a été de les trouver magnifiques, fins et racés, bien nourris, avec un pelage rouge-orangé vif et un petit museau intelligent, et il m'a fallu une seconde pour me demander pourquoi ils étaient aussi nombreux et pourquoi ils ne détalaient pas à notre approche.

C'était parce qu'ils n'avaient aucune raison de filer. C'était le paradis, ici, pour eux. Il y avait des cadavres partout et la puanteur qui nous a frappées aux narines n'était comparable à rien de ce qu'on avait pu sentir jusque-là, et quand on entend les gens dire que ceci ou cela pue la mort, on peut leur faire confiance, car il n'y a pas d'autre façon de décrire cette odeur-là, une odeur putride, tellement répugnante qu'on en a l'estomac qui cherche à remonter dans la gorge, et s'il est doué d'un minimum de raison le cerveau a envie de sortir d'un bond de sa boîte crânienne pour s'enfuir en courant le plus vite possible et ne pas avoir à découvrir ce qui dégage cette odeur-là.

Après avoir fait tout ce chemin, je ne savais plus ne pas continuer à avancer. Mes jambes me portaient toutes seules, et quand je suis arrivée un peu plus près j'ai vu que certains des cadavres étaient humains ; puis une sorte de froid s'est emparé de moi et qu'importe ce que j'allais encore découvrir, je savais que je ne crierais pas ni rien.

J'étais transformée en glace.

Les oiseaux picoraient un visage humain juste devant moi, ils tiraillaient sur la peau et, avec leur bec, arrachaient aux os des lambeaux irréguliers de chair violette ; ils se sont envolés quelques secondes quand j'ai agité le bras pour voir ce qu'il en restait, mais j'ai tout de suite su à la taille du corps et à ses vêtements que ça ne pouvait pas être Edmond, donc ça ne pouvait pas être Isaac non plus et ce n'était pas non plus Osbert.

Seulement, il y avait d'autres cadavres.

Dix-sept en tout, du moins ceux que je pouvais voir, et un seul reconnaissable à mes yeux. J'étais pratiquement sûre que c'était le docteur Jameson et ça m'a fait un tel choc de voir mort quelqu'un que j'avais connu que j'ai eu une nouvelle attaque de panique. Mes jambes se sont mises à s'entrechoquer tellement fort que j'ai dû m'accroupir par terre pour ne pas tomber.

Un par un.

Un par un je suis allée les inspecter, méthodiquement, m'assurer qu'ils étaient bien morts, constater qu'ils étaient parfois très jeunes, et peu à peu j'acquérais la certitude qu'aucun d'entre eux n'était celui que je redoutais le plus de trouver.

Il y en avait dans toute la cour de la ferme et tous avaient visiblement tenté de fuir ou de se tapir quelque part, ou encore de protéger quelqu'un, et quand ils avaient encore un visage on y lisait de la terreur – au moins dans l'arrondi de la bouche, parce que les yeux et les lèvres, c'était ce qui avait disparu en premier. J'ai d'abord voulu chasser les renards en me ruant sur eux, folle de rage, mais c'est à peine s'ils m'ont remarquée ; il fallait que je leur lance des coups de pied pour qu'ils battent légèrement en retraite mais sans lâcher le morceau d'humain qu'ils étaient en train de dévorer. Ils me regardaient avec indifférence, et je suis certaine qu'ils sentaient ma peur.

J'ai trouvé en tout et pour tout neuf hommes, trois femmes et cinq enfants, dont une fille plus petite qu'Alby qui était encore dans les bras de sa mère. Celle-ci avait l'air jeune, mais comme les autres elle était tout habillée – elle portait des vêtements sales et tachés de sang – donc « certaines choses » qui arrivent communément pendant les guerres n'avaient pas eu lieu ici, rien qu'une série d'assassinats de sang-froid.

Quant à savoir depuis combien de temps ils étaient morts, je n'aurais pas su le dire. En tout cas, assez longtemps pour que leurs entrailles entrent en putréfaction et que les corbeaux ou les renards convoquent tous leurs parents et amis au festin.

Au fond, dans les paddocks couverts, se trouvaient les animaux, le plus souvent des vaches et des veaux, près d'une centaine, entassés les uns sur les autres sans rien à manger, pour la plupart morts ; les autres, debout ou couchés, émettaient un gémissement rauque quand ils respiraient. J'ai fait deux ou trois pas vers eux et une nuée d'oiseaux se sont envolés de quelques mètres avant de se reposer aussitôt et de se remettre à picorer et à se disputer les meilleurs morceaux. Maintenant que j'étais à proximité je voyais des rats émerger des bêtes mortes et des renards tirer sur des intestins puants sortant par des trous dans le ventre des vaches. J'ai senti que si je ne m'enfuyais pas le plus loin possible j'allais me mettre à hurler et ne plus jamais m'arrêter.

Je me suis élancée avec dans les oreilles le son de ma propre respiration haletante, affolée, puis j'ai cherché du regard Piper, dont je n'ai pas vu trace ; j'ai crié PIPER PIPER PIPER pratiquement sans reprendre mon souffle ni lui laisser le temps de répondre, mais je ne l'ai vue nulle part, et l'hystérie montait en moi comme la marée à tel point que j'ai fini par m'y noyer alors j'ai couru vers le seul endroit qui restait, c'est-à-dire la grange, et elle était là, à genoux ; les larmes coulaient silencieusement sur son visage et elle serrait dans ses bras un animal que je n'ai reconnu qu'en entendant un tout petit *ding* quand il a bougé. Alors j'ai compris de quoi il s'agissait, sauf que je ne l'aurais jamais reconnu tant il était couvert de merde et maigre à faire peur, trop maigre pour être encore en vie, et pourtant. Mais il était resté trop longtemps sans manger et son regard était vitreux ; il nous a quand même reconnues, il a fait tinter sa clochette et frotté ses petites cornes contre Piper du mieux qu'il a pu vu qu'il était presque mort.

Ding.

Trop faible pour tenir debout, trop malade pour s'intéresser à l'eau que Piper lui avait apportée.

Alors je l'ai recouvert d'un sac à céréales et je lui ai tiré une balle dans la tête.

Puis j'ai ramené Piper à la maison.

On n'a même pas pris la peine de camper. On a suivi la route en allant le plus vite possible vu les forces qui nous restaient, en nous enfonçant dans les fourrés quand des camions passaient et en y restant jusqu'à ce qu'on ne risque plus rien.

Cela dit, on n'était jamais totalement à l'abri. Il y avait des hommes avec des lampes électriques, on entendait des cris et il circulait beaucoup de camions ; dans d'autres circonstances, on aurait eu très peur.

On ne progressait pas vite.

On ne parlait pas, mais je tenais Piper par la main et je lui répétais inlassablement que je l'aimais beaucoup à travers le sang qui palpitait dans mes veines et coulait jusque dans ma main pour passer ensuite dans ses doigts. Au début sa menotte était molle et froide, comme une chose morte, mais je lui ai peu à peu réinsufflé de la vie et après quelques heures de marche ses doigts ont serré les miens, d'abord doucement puis plus fort, et j'ai enfin su qu'elle était vivante.

Au crépuscule le ciel s'est dégagé, il a pris des teintes orange, grises et roses, et la température a chuté, mais heureusement la lune était belle alors on s'est emmitouflées dans nos couvertures et on a continué à marcher en suivant la carte ; vu qu'on était obligées de s'arrêter de temps en temps pour se cacher ou se reposer un peu c'était presque l'aube, même s'il ne faisait pas encore jour, quand on a traversé le village désertique en passant devant le pub et les magasins, avant d'entreprendre l'interminable et familière ascension jusqu'à la maison. Je m'attendais à trouver le paysage stérile, mort, mais non. Au contraire les haies ployaient sous les baies, les fleurs, les nids d'oiseaux – toutes les manifestations de la vie.

Le tout dégageait pourtant un optimisme qui aurait dû m'égayer un tant soit peu. C'était comme assister à une vision du passé, une existence à la fois si récente et si lointaine que je m'en rappelais les plaisirs sans pour autant les ressentir physiquement.

La nouvelle personne que j'étais ne s'attendait plus à rien, ni en bien ni en mal.

La maison semblait inoccupée, obscure et silencieuse ; même sa pierre couleur de miel dégageait une impression d'abandon. La vieille Jeep était toujours garée sur le côté, là où on l'avait laissée quand il n'y avait plus eu d'essence. Aucune trace de vie où que ce soit.

Ni de mort, d'ailleurs.

Je voudrais pouvoir dire que mon cœur a tressailli d'espoir devant ce spectacle, mais ce n'est pas vrai. Ce qu'il me restait de cœur me faisait désormais l'impression de n'être qu'un paquet de chair et de sang. Ou un bloc de plomb. Ou de pierre.

J'ai dit à Piper de rester dehors et elle s'est laissé tomber par terre la tête enfouie au creux de ses bras pendant que j'allais prudemment jeter un coup d'œil dans la maison ; mais comme je n'avais pas la force de fouiller toutes les pièces je suis allée droit au garde-manger et là, au fond d'un placard bas, j'ai trouvé une boîte de tomates en conserve, une de pois chiches et une de soupe, plus un pot marqué « chutney » – ça, il faut vraiment crever de faim en temps de guerre pour avoir envie d'y toucher mais au moins ça se mangeait. J'ai défoncé le couvercle de la boîte de tomates et je l'ai donnée à Piper, qui a sucé le jus avant de me la donner à finir.

Puis, le soleil se levant, on est allées lentement, exténuées et meurtries, se coucher dans la grange d'agnelage.

Il devait y avoir des milliers, des centaines de milliers, des millions d'endroits en Angleterre qui n'avaient pas été touchés par la guerre : le fond des lacs, la cime des arbres, les coins reculés de prairies oubliées ; des îlots perdus où personne n'allait jamais en temps de paix parce qu'ils n'étaient pas assez importants, qu'ils étaient à l'écart du passage ou que personne ne se souciait de les détruire.

La grange d'agnelage en faisait partie. On était début octobre mais il restait assez de feuilles sur les arbres pour la dissimuler complètement depuis le sentier, et mon sang s'est figé dans mes veines jusqu'au moment où on a vu qu'elle était toujours debout, après s'être frayé un chemin à travers la végétation qui avait proliféré.

Oui, elle était toujours debout malgré la mort, la maladie, le malheur, le chagrin et la misère qui régnaient partout ailleurs. Dedans aussi, par bonheur, elle était intacte. Personne n'y était entré depuis la nuit qu'on y avait passée tous ensemble, heureux, mille ans plus tôt.

Par chance, cette fois-là on avait eu la flemme de tout rapporter à la maison, aussi il restait des couvertures, toujours étalées sur le foin, et même des vêtements oubliés par les garçons – des tee-shirts, des jeans, des chaussettes, des trucs qu'ils avaient portés dans un univers où on mettait ses habits un jour et où on se changeait le lendemain.

Épuisée comme j'étais, j'ai dit à Piper que je devais absolument chasser toute trace de l'odeur de la veille, alors dans le pâle soleil du petit matin, je me suis frictionnée avec de l'eau glacée puisée dans l'auge en métal, puis j'ai mis un jean appartenant à Edmond ainsi qu'un tee-shirt et même s'il n'y restait rien de son odeur, je me sentais mieux avec ses vêtements à lui. Je ne pouvais plus supporter le pull crasseux que je portais tous les jours depuis des siècles pour me tenir chaud ; ma nouvelle tenue sentait un peu le renfermé, mais quand je me suis coulée entre les couvertures et que j'ai collé ma tête contre celle de Piper j'ai eu l'impression d'être presque propre, en sécurité et, par-dessus tout, chez moi.

Cette nuit-là, j'ai dormi du sommeil sans rêve des morts.

27

On aurait pu revenir habiter dans la maison, mais on a évité.

Peut-être parce qu'elle était trop près de la route, ou alors qu'on était devenues un peu sauvages et qu'on ne pouvait plus vivre dans une maison normale. Quoi qu'il en soit on est restées dans la grange à ne rien faire que dormir pendant presque trois jours d'affilée, en ne se levant que pour finir nos provisions, chercher de l'eau et faire pipi dans les buissons.

Puis quand on a eu assez dormi, mais qu'il a fallu faire du feu et trouver à manger, je me suis tout d'un coup rappelé le panier qu'Isaac avait subrepticement introduit dans la grange à l'insu de Piper, cinq mois plus tôt.

Même dans les pires moments, il ne m'était jamais venu à l'idée de prier. Mais là, j'ai prié.

Pour que les souris n'aient pas investi la mangeoire. Pour que les aliments n'aient pas pourri à cause du soleil estival. Pour que tous les dieux auxquels je n'avais jamais cru de ma vie m'entendent, et qu'il y ait assez de nourriture pour Piper et peut-être un petit quelque chose pour moi aussi.

Ça doit vouloir dire que maintenant, je suis obligée de croire en Dieu.

Le fromage était dur et un peu moisi en surface, mais mangeable, et il y en avait en quantité. Le cake était en parfait état dans sa barquette et le jus de pomme un peu piqué mais pas imbuvable ; les abricots secs étaient impeccables, tout comme l'épaisse plaque de chocolat dans son papier brun. En revanche j'ai dû jeter le jambon, pourri, dont l'odeur se rapprochait suffisamment de celle de la ferme pour me redonner la nausée.

Les belles journées d'octobre succédaient aux belles nuits et même s'il faisait froid dans la grange, dehors ça se réchauffait en milieu de matinée – Piper disait que la terre gardait encore la chaleur de l'été. Alors on a étendu nos couvertures contre le mur sud de la grange, où on s'est adossées pour profiter de la chaleur comme des vieilles dames en buvant du jus de pomme fermenté additionné d'eau de pluie, pour le faire durer, en détachant de petits morceaux de fromage et de gâteau en essayant de manger lentement, pour ne pas risquer de vomir à cause du choc, pour une fois qu'on mangeait pour de vrai. Le goût était presque trop fort pour nous, une espèce de vertige nous remontait de l'estomac alors on restait là sans bouger, en s'efforçant de réparer notre cerveau et notre corps par bouchées et gorgées progressives, et aussi grâce à la sérénité, à l'inaction ambiantes, et à cet environnement bien connu.

Au bout de quelques jours comme ça, un soir en se couchant on a décidé que le lendemain matin on retournerait à la maison voir ce qu'on pourrait dénicher, ce qui signifie sans doute qu'on retrouvait un semblant d'humanité.

Au milieu de la nuit, je me suis réveillée en entendant un bruissement au rez-de-chaussée de la grange et ma première réaction a été Edmond ! Mais la deuxième a été Oh, non ! Ça recommence – et la troisième de me dire que c'était peut-être un rat et qu'il fallait mettre les provisions en sécurité, mais le bruit avait quelque chose de familier et comme je me redressais en position assise j'ai vu que soudain Piper ouvrait tout grands les yeux, bien réveillée, et qu'elle souriait pour la première fois depuis bien longtemps ; alors elle a sifflé tout bas, la Chose a poussé un petit glapissement et j'ai failli éclater de rire parce que j'étais la dernière à reconnaître Jet.

On est vite descendues le retrouver ; il était très maigre et son pelage était en mauvais état mais sinon il avait l'air de se porter comme un charme et il était tout content de nous voir. Il s'est couché sur le dos sans la moindre retenue, à gigoter de plaisir pendant qu'on le caressait vigoureusement, qu'on le serrait dans nos bras et qu'on l'embrassait en lui disant qu'il nous avait énormément manqué.

Laissant Piper avec le chien je suis allée chercher un bout de fromage et du cake dans la mangeoire et je les lui ai donnés le plus lentement possible, bien que ça n'ait manifestement pas beaucoup d'importance vu qu'il a tout englouti sans mastiquer ; il avait très faim, et la seule chose qui m'a retenue de lui donner le reste c'est qu'on ne savait pas combien de temps on allait devoir se contenter de ce stock pour survivre.

Comme on était trop excitées pour dormir et qu'on ne voulait pas quitter Jet des yeux ni l'une ni l'autre, on l'a monté au grenier moitié en le traînant, moitié en le portant, ce qui ne l'enchantait pas vraiment ; on a quand même fini par se coucher tous les trois, Jet à une courte distance de Piper, qui avait posé la main sur sa patte pour plus de sécurité tandis que moi je faisais de même avec sa petite patte à elle pour les mêmes raisons, et c'est comme ça qu'on a dormi.

Le trajet jusqu'à la maison demandait de la force, physique et mentale, et il ne nous en restait pas beaucoup. Je me suis préparée au pire sans dire un mot, et si ce que nous y avons trouvé n'était pas le pire, elle était quand même pas mal saccagée – c'était un peu comme de recevoir des coups de pied quand on est déjà à terre.

Il n'y avait toujours ni électricité ni téléphone. Ni message, ni petit mot, rien qui nous dise où trouver Edmond et Isaac, mais le bon côté de la chose c'est qu'il n'y avait pas non plus de carreaux cassés ni de murs badigeonnés de merde pour le plaisir. Beaucoup de meubles avaient été jetés dans le hangar voisin ou entassés dans les angles des pièces, il y avait de la vaisselle cassée partout, et les assiettes encore entières étaient incrustées de crasse ; les toilettes débordaient et il y avait de la terre ou de la boue sur tous les tapis.

La cuisine surtout était en mauvais état ; je suppose que même les gradés aiment bien y passer du temps car la table était couverte de tas de paperasse. On avait dessiné des cartes sur le mur et il ne restait rien à manger à part ce qu'on avait trouvé le premier jour ; quand on est allées jeter un œil dans le hangar d'à côté on n'a pas trouvé trace des moutons ni des poules. Ça pouvait signifier qu'on les avait libérés ou servis à manger aux soldats.

Dans les chambres ça allait un peu mieux : les meubles étaient simplement repoussés de côté et plutôt propres. J'ai dû retenir mon souffle avant d'entrer dans ma chambrette mais j'y ai retrouvé les mêmes murs séculaires et immaculés, le reste étant tel que je l'avais laissé sauf que les jonquilles mortes étaient toutes sèches comme du papier dans leur bouteille. J'ai ramassé une couverture par terre et je l'ai posée bien lisse sur le lit ; puis j'ai regardé le monde extérieur par la fenêtre et je me suis revue arrivant en Jeep avec Edmond.

J'entendais encore nos voix résonner dans les murs.

Avant de ressortir j'ai ouvert les tiroirs de la petite commode, et en y trouvant mes vêtements bien propres et bien pliés j'ai tout oublié sauf mon désir de me laver. Je suppose que si on n'avait pas touché à nos affaires c'est parce qu'elles étaient trop petites.

Dans le couloir je me suis regardée dans la grande glace, ce qui était une lourde erreur vu que l'espace d'une seconde je n'ai pas reconnu la personne qui s'y reflétait tellement j'étais maigre et sale avec les cheveux tout collés ; je suis tout de suite allée voir si l'eau coulait des robinets, mais sans la pompe ça ne marchait pas. Piper m'a aidée à trimballer dans l'escalier des seaux d'eau prélevés dans le gros tonneau du jardin, j'ai rempli la baignoire à moitié, et armée du savon de tante Penn, d'un flacon de shampoing et d'une pièce entière pleine de fringues, j'ai entrepris de me réinventer en tant qu'être humain.

S'il vous est déjà arrivé de porter les mêmes vêtements jour et nuit pendant des semaines d'affilée, vous me comprendrez si je vous dis que ça procure une sensation incroyable de rendre à nouveau sa peau satinée, qu'on atteint le bonheur par le simple fait de se couper les ongles et de se récurer les mains et les pieds avec un bon savon qui sent la rose, puis d'enfiler des habits propres, de brosser ses cheveux PROPRES et de les faire sécher, tout soyeux, au soleil.

On a recommencé la manœuvre pour Piper, puis elle m'a chargée d'aller chercher des vêtements propres dans sa chambre car elle n'avait pas le courage d'y aller elle-même. Je ne sais pas de quoi elle avait peur mais elle est restée inflexible comme les petits enfants qui jurent qu'il y a quelque chose qui se cache dans l'obscurité du placard. Sans doute redoutait-elle les spectres qui hantaient sournoisement toute la maison, et je ne pouvais pas lui en vouloir.

Je lui ai donc choisi des habits, dont un chemisier blanc bien que ce ne soit pas du tout pratique – mais c'était un tel luxe d'être propre et pas pratique que je n'ai pas pu résister. Je lui ai aussi fait un sac avec des choses sensées genre jeans, sweat-shirts à capuche et sous-vêtements, plus des chaussettes pour la nuit, à porter aux mains aussi bien qu'aux pieds à cause des éventuels insectes.

Quand on a eu été toutes les deux propres et vêtues de neuf, on a remis les meubles en place comme on pouvait dans le salon, et ça nous a drôlement remonté le moral. Je crois que ce qui m'a fait le plus de bien c'est de jeter les baskets crados que j'avais portées tous les jours pendant des mois et de mettre une paire de mocassins datant de ma vie antérieure et qui me paraissait tout à coup flambant neuve et chère, et qui sentait bon le cuir.

Il fallait s'occuper de Jet, qui n'arrêtait pas de mordiller les bouts de végétation qui s'étaient pris dans sa fourrure, seulement il était radicalement opposé à l'idée de prendre un bain, alors tout ce qu'on a pu faire c'est aller chercher sa brosse dans le vestibule, emmener l'animal dans la grange et tenter de démêler tout ça, ce qu'il n'a pas tellement apprécié non plus. On y a aussi emporté un sac de croquettes qui restait dans le garde-manger parce qu'on avait déjà assez de problèmes comme ça pour se nourrir sans chercher *aussi* des solutions pour Jet. Le sac était lourd, on en a bavé mais ni Piper ni moi ne savions s'il était capable de se débrouiller en attrapant des écureuils et des lapins.

Une fois de retour à la grange, j'ai bien planqué notre butin : les allumettes, le savon, les vêtements propres, des couvertures supplémentaires, la nourriture pour chien, une bougie trouvée sous un fauteuil, plus quelques bouquins. Pour transporter davantage de choses il aurait fallu faire deux voyages, et quand on est fatiguée et sous-alimentée, trois kilomètres de campagne à traverser, c'est largement suffisant.

Ce soir-là Piper a disparu pendant que je profitais encore dehors de la dernière chaleur du jour ; au bout d'un moment je suis partie à sa recherche et elle était allée se tasser toute seule dans un coin de la grange, enveloppée dans une couverture, les bras serrés autour de Jet, en pleurant presque sans bruit, le nez et les yeux rouges et enflés, la bouche ouverte et les larmes qui roulaient sur ses joues comme si elles sortaient d'un puits sans fond.

Je n'ai pas eu besoin de lui demander pourquoi elle pleurait. Le fait qu'on soit propres et plus ou moins en sécurité rendait encore plus flagrante l'absence des autres ; de mon côté je me languissais terriblement d'Edmond, mais moi au moins j'avais accepté depuis bien longtemps la perte de ma mère, tandis que Piper, tout ce qui lui restait après sa mère à elle et ses trois frères, c'était moi, un chien et un tas de questions sans réponses.

J'avais envie de dire à quelqu'un que là, j'étais à bout, que je ne pouvais plus continuer très longtemps à porter mon propre accablement plus celui de Piper, qui était encore bien pire. J'enrageais, j'étais désespérée, j'étais Job brandissant le poing en s'adressant à Dieu dans la Bible, et il n'y avait rien d'autre à faire que m'asseoir à côté d'elle, lui caresser les cheveux en lui murmurant chut, chut, assez maintenant – et effectivement, on en avait toutes les deux assez.

28

On ne pouvait pas continuer comme ça. Mais on a continué comme ça.

Pour passer le temps, on s'est employées à rester en vie.

Une éternité plus tôt, j'avais appris à l'école que les « hommes des cavernes », les « Bushmen » et autres « tribus primitives » passaient toute leur vie éveillée à chercher de quoi se nourrir, et c'était sympa de pouvoir se relier en droite ligne à ce bon vieux Néandertal velu. Je me disais que la prochaine fois que j'irais à New York j'irais trouver les gens de mon ancienne école pour leur conseiller de remplacer la matière intitulée « Communication par les médias » par « Comment survivre à moitié mort en pleine nature et sans grand espoir ».

Heureusement ce n'était pas la nourriture qui manquait à présent, vu que c'était l'automne, la saison des fruits et de Thanksgiving, mais je n'irais pas jusqu'à prétendre que notre régime alimentaire était des plus passionnants et j'aurais fait n'importe quoi pour un sandwich toasté pain de seigle-fromage-tomate et un Coca light ce qui, maintenant que j'y pense, représente un progrès majeur chez moi – si seulement un de mes mille psys était là pour s'arroger tout le mérite !

Il y avait aussi plein de pommes de terre parce que pour aller à la grange il fallait en longer tout un champ ; les militaires cantonnés chez nous avaient bien dû s'en rendre compte mais il y a des limites à la quantité de patates qu'une brigade de réquisitionneurs affamés peuvent ingurgiter en un mois sans les ingrédients essentiels qui font la bonne purée, les frites ou la salade de pommes de terre. En d'autres termes il nous en restait les neuf dixièmes.

Je passais le plus clair de mes matinées à les déterrer et à les rapporter à la grange pour les stocker dans les mangeoires pendant que Piper se mettait en quête de mets fins naturels genre cresson, châtaignes, miel... Comme toujours, elle assurait dans le créneau « nymphe des bois » et moi dans le côté pragmatique.

Certains jours, quand j'en avais trop marre des patates, je l'accompagnais, et quand on la voyait à l'œuvre on était forcé de se dire Je ne sais pas qui est le père de ces gamins-là, mais ça doit être un elfe en bonne et due forme. Elle savait suivre les abeilles jusqu'à la ruche et en retirer le miel en enflammant une branche verte pour l'enfumer et faire fuir les insectes ou les engourdir le temps de détacher un morceau de rayon sans se faire piquer – cela dit, je préférais quand même assister à toute l'opération à bonne distance.

Un jour elle m'a montré comment cueillir du cresson dans la rivière en expliquant qu'il fallait toujours qu'il soit dans de l'eau COURANTE sinon c'était fatal pour le foie. Et si c'est une rivière qui fait des méandres ? je me suis demandé. C'est un des trucs que j'aime le moins, avec la nature : le règlement n'est pas assez précis. C'est comme quand Piper dit Je suis *quasiment* sûre que ce champignon n'est pas toxique.

De toute façon je n'aurais pas su quoi faire de ces rayons de ruche gluants et tout dégoulinants de miel, ni de ces poignées de cresson à part les expédier dans une usine quelconque pour emballage sous Cellophane ou sous plastique, mais à ma grande surprise, ça avait vraiment le goût de miel et de cresson sans qu'on soit obligé de faire quoi que ce soit en plus de la corvée de patates, et je commençais à me dire qu'à part pour les sandwichs et cinq ou dix mille autres choses tout aussi essentielles, finalement, les supermarchés étaient une perte de temps.

Dans l'intervalle j'ai appris à la dure comment conserver les aliments tels que le miel dans un récipient hermétiquement clos si on veut éviter que tous les insectes de la terre viennent voir quel goût ça a.

Piper était capable de repérer à l'odorat l'ail et l'oignon sauvages dans un pré et en rapportait des brassées qu'on lacérait pour confectionner des pommes de terre à l'oignon et à l'ail sauvages, histoire de changer un peu des pommes de terre sans ail ni oignon sauvages. Certains jours j'aurais échangé de bon cœur tout l'avenir de l'Angleterre contre un seul pot de mayonnaise ; malheureusement, l'occasion ne s'est pas présentée.

On a fait rôtir des châtaignes dans le feu et c'était drôlement bon, quoique très difficile à dépiauter – l'écorce se mettait sous les ongles et ça faisait mal pendant des jours et des jours. J'ai passé la quasi-totalité d'un après-midi à ramasser des châtaignes et quand je suis revenue, Piper m'a regardée avec un léger mépris (pour autant qu'elle soit capable de mépris) en disant C'est des marrons, ça se mange pas.

Il y avait quelques rangs de maïs dans le potager de tante Penn, avec les choux qui n'avaient été mangés ni par l'armée britannique ni par celle des limaces, plus pas mal de potirons, quelques poireaux, des haricots et de la menthe qui retournaient à l'état sauvage.

J'ai rapporté de la maison une grosse poêle à frire, et pour compenser l'absence d'huile on a fait du bouillon de légumes. Piper disait qu'il fallait attraper un lapin et le tuer pour la graisse, que ça serait utile pour cuisiner, mais quand je l'ai dévisagée pour savoir si elle avait perdu la boule ou quoi, elle s'est mise sur la défensive en répliquant C'est ce que dit le *Manuel des scouts*.

Quelques jours plus tard elle m'a dit On devrait tenter une expédition Pêche, et cette idée m'a serré le cœur à cause de la Journée Idéale qu'on avait passée là-bas tous ensemble ; je ne voulais pas y retourner et gâcher mon souvenir, mais par les temps qui couraient la nostalgie ne jouait pas un grand rôle dans le processus de décision alors on a embarqué la canne à pêche de Piper et on s'est mises en marche.

Le temps était nuageux et il tombait une petite pluie fine, ce qui était bon pour la pêche d'après Piper, et comme d'habitude je l'ai regardée faire pendant qu'elle attirait notre futur repas vers la rive, mais quand elle a finalement attrapé quelque chose j'ai dû suivre ses instructions pour ce qui était de vider et nettoyer le poisson pendant qu'elle regardait ailleurs. J'aime bien Piper mais j'aurais préféré ne pas avoir à arracher les tripes d'une truite morte pour lui épargner cette corvée, sans compter qu'il a d'abord fallu que je lui donne de grands coups de bâton sur la tête. J'ai détesté ça mais moi j'en étais CAPABLE, et voilà sans doute toute la différence entre elle et moi.

Après ça on a dégusté de la truite rose pochée et à côté de ça, tout ce que j'avais pu manger dans ma vie paraissait soudain très peu raffiné. Puis on a terminé par des noisettes écrasées dans du miel arrosées de thé à la menthe, et c'était drôlement chouette sauf que la nuit, après, on ne pouvait quand même pas s'empêcher de penser à des tartines de pain grillé beurrées.

Les jours suivants on a trouvé comment faire de la soupe avec tout ce qu'on pouvait mettre dans une casserole, et c'était beaucoup mieux que de faire bouillir les ingrédients un par un. La soupe poireaux-pommes de terre était la meilleure, et quand on n'a plus eu de poireaux on les a remplacés par des oignons sauvages.

On mettait de côté tout ce qu'on pouvait. Il n'y avait

dans la grange que deux mangeoires prévues pour résister aux souris et j'en avais déjà bourré une de pommes de terre, et rempli à moitié l'autre de noisettes, de maïs et de choux. Ce qu'il nous aurait fallu, en fait, c'est un frigo/congélo géant avec distributeur de glaçons et de soda.

Le plus drôle c'est que physiquement je n'étais pas si différente que ça du jour de mon arrivée en Angleterre, sauf que maintenant, je mangeais ce que je pouvais.

J'avais perdu en chemin le désir de ne pas manger.

D'un côté, c'était tout moi de retrouver l'appétit juste au moment où le reste du monde se familiarisait avec la famine, et de l'autre, c'était vraiment idiot d'être maigre dans un monde où tout le monde mourait de faim.

Comme quoi on n'est jamais au bout de ses surprises.

À quelque chose malheur est bon.

29

Je savais qu'Edmond reviendrait s'il en avait la possibilité.

Je tentais tout ce qu'on fait dans les films avec les chiens, comme leur dire JET, VA CHERCHER EDMOND ! CHERCHE ! CHERCHE ! en indiquant vaguement la direction du Vaste Monde mais il ne partait pas en bondissant comme Lassie chien fidèle flairant une piste encore fraîche ; il s'asseyait en me regardant poliment quelques secondes puis se désintéressait de moi en constatant que je ne lui donnais pas plus de précisions.

Tu ne pourrais pas au moins envoyer Jet à la recherche de Gin ? ai-je demandé à Piper sur un ton genre « C'est vrai quoi, après tout tu es censée Murmurer à l'oreille des chiens » mais elle a secoué la tête en disant Il la trouverait s'il savait où chercher.

On l'a vu qui levait légèrement la truffe comme pour flairer la brise.

Tu vois, m'a dit Piper, il se tient au courant de ce qui arrive dans les parages. Toutes les odeurs passent par le filtre de sa truffe.

Un après-midi je les ai trouvés en grande conversation tous les deux, et quand je lui ai demandé ce qu'ils se disaient elle s'est contentée de répondre en haussant les épaules Des trucs de chien. De temps en temps je me sentais un peu seule à être toujours exclue de ces échanges, et ça me rendait triste, mais en général je faisais comme si de rien n'était. Moi j'aime les vieux films, elle, elle parle aux chiens, et voilà tout.

Les jours passaient et toujours aucun signe d'Edmond ou d'Isaac ; je luttais sans cesse contre l'insupportable peur qui était toujours là, en arrière-plan. Il m'a fallu longtemps pour m'avouer que je ne sentais plus la présence d'Edmond, et certaines nuits je restais éveillée jusqu'à l'aube en écoutant éperdument le silence et en essayant de me rappeler son visage.

Par moments j'entendais sa voix dans ma tête mais en fin de compte c'était toujours mon inconscient qui se repassait de vieilles bandes en faisant défiler une espèce de nostalgie perverse.

J'étais dans le déni de ce qui semblait indéniable.

Et pourtant, je les avais vus, ces morts. J'avais inspecté tous leurs visages hideux, cauchemardesques, histoire d'acquérir une certitude.

Je me sentais de plus en plus attirée par la grande maison, juste histoire de m'assurer qu'Edmond n'était pas là-bas à nous attendre. Avait-il réussi à se traîner jusque-là sans pouvoir aller plus loin ?

Je me trouvais des excuses auprès de Piper pour m'absenter quelques heures, ou bien je lui disais seulement que j'avais trouvé dans le potager quelque chose qui pouvait parvenir à maturité d'un jour à l'autre, par exemple des tomates tardives ; ou alors je prétendais qu'on avait besoin de chaussettes propres. Ça ne lui faisait rien que j'y aille toute seule – elle, elle n'y tenait pas, à cause des fantômes, et de toute façon elle savait plus ou moins pourquoi j'y allais et elle n'était pas fâchée que quelqu'un se charge de vérifier, au cas où.

Comme elle emmenait toujours Jet pour lui tenir compagnie je n'avais pas de système d'alarme préventif et chaque fois que je m'approchais de la maison j'essayais de repérer des signes de mauvais augure, des nuages aux formes bizarres, treize pies, des grenouilles grosses comme des antilopes, ce genre de choses. Certains jours j'étais sûre de pressentir quelque chose ou de vivre une étrange expérience mystique, mais ça ne vous étonnera pas beaucoup si je vous annonce que je me trompais à tous les coups.

C'était sans importance. Chaque fois mon cœur se mettait à battre la chamade à l'idée qu'on puisse avoir de la visite. Le plus souvent, c'était un papillon de nuit qui se cognait contre le carreau. Ou des souris. Ou rien du tout.

Une fois sur place, je m'efforçais de remettre tout en ordre.

Je poussais les meubles. Je balayais les tapis. Je lavais les assiettes au savon et à l'eau froide. Je lessivais les murs.

Parfois je restais simplement assise dans ma petite

chambre ou dans celle qu'Edmond partageait jadis avec Isaac en espérant que quelque chose allait arriver.

Parfois je mettais ses vêtements et j'errais dans la maison en cherchant quelque chose, sans très bien savoir quoi.

Je me faisais peur. Je devenais le spectre qui effrayait tant Piper.

Un jour on est descendues à la maison ensemble parce qu'elle voulait prendre un bain. Inutile de faire comme si j'avais des prémonitions quand elle était là : si quelque chose devait se manifester – une manifestation, quoi – ce ne serait pas à moi, mais à elle, de toute façon.

On a dû trimballer des seaux pleins, comme d'habitude, et même si son bain était froid, au moins il avait lieu dans une vraie baignoire ; puis on a traîné quelque temps dans le jardin et troqué nos livres lus contre des non lus, et finalement c'était un peu comme quand on allait au ciné avant la guerre, autrefois, juste pour se changer un peu les idées.

Pendant un moment il a régné un calme absolu ; on n'entendait que Piper fredonner tout doucement, un oiseau gazouiller dans le pommier – un « pouillot véloce » d'après Piper – et moi qui tournais les pages de mon livre.

Et tout à coup le téléphone a sonné.

C'était un bruit qu'on avait complètement oublié. On n'a pas su réagir.

Pendant une éternité, ni elle ni moi n'avons bougé d'un pouce.

Piper était terrifiée. Les yeux écarquillés.

Mais je n'avais jamais pu entendre un téléphone sonner sans décrocher, et ce n'était pas ce jour-là que j'allais commencer.

J'ai porté le combiné à mon oreille, mais sans rien dire.

Allô ? a dit une voix que, l'espace de quelques secondes, je n'ai pas reconnue.

Allô ? a-t-elle répété, avant d'enchaîner sur un ton suppliant S'il vous plaît, qui que vous soyez, répondez.

Alors j'ai reconnu cette voix.

Et j'ai dit Bonjour, c'est Daisy.

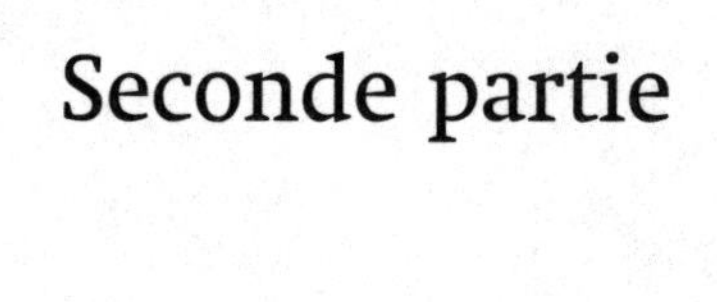

Seconde partie

1

J'ai échoué dans un hôpital où on m'a gardée des mois après mon retour à New York et où je suis restée à regarder fixement le mur, muette et pétrifiée de colère et de chagrin. Le fait que je ne refuse pas de m'alimenter étonnait et irritait les soignants car cela contrariait leurs efforts pour comprendre ce que je faisais là. Pendant des mois la raison de ma présence leur a complètement échappé. Mais ils pouvaient toujours courir pour que je les aide.

Pour finir ils ont bien été obligés de me relâcher, puisqu'ils étaient toujours incapables de diagnostiquer ce qui était pourtant évident.

Nous y voilà enfin, et j'espère qu'ils sont à l'écoute.

J'étais à l'hôpital parce que c'était pratique. C'était la seule façon, pour mon père, de me faire sortir d'Angleterre. Je n'avais nullement l'intention de me laisser mourir de faim, de me tuer, de me taillader les veines, de me faire subir des privations, de me mutiler ou de me punir.

J'étais en train de mourir, naturellement, mais d'un autre côté c'est notre cas à tous. Jour après jour, donc à intervalles parfaitement réguliers, je mourais de ce que j'avais perdu.

Mon seul soutien, dans l'état où j'étais, en ce temps-là mais aujourd'hui encore, c'est que j'ai refusé de renoncer à ce qui me tenait à cœur. J'ai tout mis par écrit ; d'abord par fragments – une phrase par-ci, quelques mots par-là ; je ne pouvais pas en supporter davantage. Plus tard j'ai écrit plus longuement ; mon chagrin était assourdi, mais non atténué, par le temps.

Quand je me repenche aujourd'hui sur ces textes c'est tout juste si j'arrive à me relire. Surtout à cause des passages heureux. Il y a des jours où je ne peux pas me résoudre à me rappeler. Mais je ne renoncerai pas au plus petit détail du passé. Ce qui reste de ma vie dépend de ce qui est arrivé il y a six ans.

Dans ma tête, dans mes bras et mes jambes, dans mes rêves, ça continue à arriver.

2

Il a fallu tout ce temps pour que la guerre finisse. J'allais ajouter Pour de bon, mais même maintenant, je n'ose pas être trop optimiste.

L'Occupation proprement dite a duré moins de neuf mois ; cette année-là, à Noël, c'était terminé. Entre-temps j'avais regagné New York contre mon gré, à moitié obligée et à moitié expulsée, plus une troisième moitié de chantage, et après tout ce à quoi il avait déjà fallu que je résiste, je n'ai pas eu la force de mener ce combat-là.

Le pire, pendant toutes ces années, ça n'a pas été l'hôpital, ni la solitude, ni la guerre, ni même d'être séparée d'Edmond.

Le pire, c'était de ne pas savoir.

De nos jours il est à la mode de dire qu'il faut vivre toute une vie en l'espace de quelques années seulement, en l'y faisant entrer de force, surtout quand ça se termine par la mort des personnes concernées, ce qui est de plus en plus le cas. Mais pour moi c'est le contraire qui s'est passé. Quand j'ai quitté l'Angleterre ça a été pour entrer dans les limbes. Pendant tout ce temps j'ai attendu de rentrer à la maison.

Vous vous dites peut-être que j'exagère, que je devrais nuancer mes propos ; j'ai attendu, d'accord, mais j'ai aussi trouvé un boulot, lu des livres, passé des journées entières dans des abris antiaériens, rempli des formulaires de rationnement, écrit des lettres, fait le nécessaire pour rester en vie.

Mais la vérité, c'est que rien ne pouvait me détourner de cette attente.

Le. Temps. Passait. C'est. Tout.

D'abord, évidemment, j'ai retrouvé ma famille. J'ai fait la connaissance de ma demi-sœur. En fait, elle est moins que ça pour moi. Un huitième de sœur. Un cinquantième, même.

Ils l'ont baptisée Léonora. « Le nez retroussé, adorable et – *pour changer* – normale », comme le serine Davina deux à trois cents fois par jour depuis près de six ans maintenant.

Je sais exactement comment se déroulent les discussions avec mon père.

– Dieu merci Léonora, elle, ne nous pose pas de problèmes, quand on pense *ne serait-ce qu'à tout l'argent* qu'on a dû dépenser pour... (hochement de tête entendu).

À quoi mon père répond, l'air mal à l'aise, « Tu as raison ma chérie » en cognant silencieusement les jointures de ses doigts contre leur « Tête de lit en bouleau blanc du Canada faite sur mesure », histoire de toucher du bois.

À l'âge de Léonora, moi aussi j'étais adorable.

Pour faire plaisir à mon père, j'ai fait semblant d'être gentille avec elle. De toute façon elle s'en fiche. Pour elle, l'admiration éperdue va de soi.

Bof, tant mieux pour elle. C'est beaucoup plus simple comme ça.

J'ai quitté le foyer familial quelques jours après ma sortie officielle de l'hôpital. La plupart des écoles étaient fermées mais au milieu de toute cette ambiance de mort et de destruction, de toute façon, on ne voyait plus très bien l'utilité de s'instruire. Alors je me suis installée dans un immeuble de bureaux désaffecté près de ce qui avait été la gare de Grand Central. Plus personne ne voulait vivre dans le coin, mais moi je m'y plaisais. Le ciel était plus vaste, à présent, et à part quelques mitraillades occasionnelles, c'était calme.

La succursale principale de la bibliothèque publique était tout près, à l'angle de la Quarante-Deuxième Rue et de la Cinquième Avenue. Je me suis dit qu'ils devaient chercher désespérément du personnel, comme tout le monde. Pendant l'entretien d'embauche ils m'ont demandé ce que je pensais des menaces d'attentats à la bombe et des tireurs embusqués, et ce qu'ils ont pris pour du courage les a impressionnés. J'étais la seule candidate pour le poste, ce qui explique qu'on n'ait pas sourcillé devant ma seule expérience professionnelle, à savoir surveillante générale dans un asile de fous.

Jour après jour je me suis acquittée de mon rôle, qui se réduisait à pas grand-chose. Certains jours on ne voyait que les habitués : une petite bande d'intellos en pleines « recherches » et d'accros aux infos de première main, le genre à l'ancienne. Tous les autres restaient chez eux devant Internet – ils se souciaient moins de la qualité des renseignements recueillis que des kamikazes ceinturés d'explosifs. Presque tout le monde s'habituait à vivre sans ces petits luxes que sont les ouvrages empruntés à la bibliothèque.

C'est seulement il y a quelques mois qu'on a observé une pause dans les milliers de conflits locaux qui faisaient rage aux quatre coins de la planète. Ou alors il s'agissait d'une seule et même guerre ? Je ne sais plus.

Je crois que personne ne le sait.

Un jour les frontières se sont rouvertes entre les États-Unis et l'Angleterre, et presque aussitôt j'ai reçu une lettre de Piper. Il m'a fallu un long moment avant de trouver la force de la lire.

Pour une fois, les relations de mon père m'ont été utiles. Il a essayé de se faire pardonner, ce que j'ai apprécié.

J'ai été une des premières personnes autorisées à rentrer.

Si vous saviez de quelles complications s'est entouré le voyage... il y a de quoi rire. En tout, il a pris presque une semaine. Pas seulement en déplacements proprement dits, bien sûr – il y a aussi eu pas mal d'attente ici et là, mais j'avais l'habitude.

Quand l'avion a fini par se poser je m'attendais à moitié (et je priais vaguement pour ça) à ce qu'un miracle se produise et qu'Edmond se pointe à l'aéroport comme la dernière fois, avec sa clope et cette façon irrésistible de pencher la tête sur le côté, comme un petit chien. Je ne vois vraiment pas comment ça aurait pu arriver.

Mais j'étais déçue quand même.

La procédure de contrôle des passagers a été longue ; j'ai attendu avec mon petit groupe d'inquiets, quelques Américains, mais surtout des Britanniques qui s'étaient retrouvés coincés du mauvais côté de l'Atlantique quand les frontières avaient commencé à se fermer dans le monde entier.

On a dû vérifier deux ou trois fois notre droit d'entrer en territoire britannique et remplir des monceaux de paperasse et autres cartes d'identité avec empreinte digitale en plus du passeport d'un genre nouveau qu'on nous avait délivré.

Tous les officiels de l'aéroport étaient armés mais derrière leur visage fermé on devinait un soupçon de joie. On était presque des touristes, une espèce que personne n'avait plus revue depuis des années. Pour eux, on représentait un peu la fin d'un long et rude hiver. Des jonquilles, quoi. Ils nous ont vus arriver avec un soulagement non dissimulé.

Quand je suis sortie à l'air libre, en cette pluvieuse journée d'avril, l'odeur familière m'a sauté aux narines et porté un tel coup que j'en ai eu le vertige ; j'ai dû poser ma valise en attendant que ça passe.

Depuis la dernière fois, l'aéroport était devenu méconnaissable, complètement envahi par les ajoncs, le lierre et d'énormes chardons d'allure préhistorique. Comme Isaac l'avait prédit, la nature reprenait joyeusement ses droits. Je m'attendais presque à voir des cerfs et des sangliers sur la piste.

À part deux Jeep de l'armée, le parking était vide. Leurs conducteurs s'étaient taillé une place à la machette dans la végétation dense qui recouvrait tout, mais ces clairières avaient l'air temporaires. On avait l'impression d'atterrir dans une contrée sauvage ; je me réjouis de ne pas avoir su dans quel état était encore la piste quelque temps plus tôt.

Le soldat avait apposé un tampon FAMILLE en grosses lettres capitales bien noires sur mon passeport ; je l'ai consulté encore une fois pour me rassurer et parce que j'aimais bien le côté affirmatif du mot.

J'arrive, ai-je annoncé en mon for intérieur à tout ce que j'avais un jour laissé derrière moi ; puis je me suis dirigée vers le bus déglingué qui allait me ramener chez moi.

3

En attendant le car pour quitter Londres j'ai trouvé une cabine téléphonique en état de marche et composé le numéro que m'avait envoyé Piper. Une voix d'homme que je ne connaissais pas m'a répondu au bout d'un long moment qu'il n'y avait personne, alors je lui ai laissé un message avec mon heure d'arrivée approximative, et avant de raccrocher il m'a dit après un silence : « Ils sont très heureux de vous retrouver. »

Évidemment c'était loin d'être direct. Sept heures et deux cars plus tard j'ai achevé la dernière partie du voyage à l'entrée d'un village qui avait l'air inhabité depuis un siècle.

Le car était en avance et il n'y avait personne, mais j'ai vu venir vers moi sur la route une jeune fille gracieuse, au teint clair et sans défaut et aux épais cheveux noirs qui formaient comme un rideau.

Un sourire radieux a éclairé son visage quand elle m'a vue ; elle s'est mise à courir et évidemment, c'est ce sourire-là qui m'a confirmé qu'elle n'avait pas changé ;

puis je l'ai entendue crier « Daisy ! » d'une voix exactement semblable à celle dont je me souvenais, et je l'ai dévisagée en essayant de faire le lien avec la petite fille que j'avais connue, mais mes yeux étaient pleins de larmes, je n'y voyais pas clair.

Elle n'a pas pleuré et on voyait qu'elle s'était juré de ne pas le faire. Elle se contentait de poser sur moi ses grands yeux solennels et de me dévisager inlassablement comme si elle avait du mal à y croire.

– Oh, Daisy..., m'a-t-elle dit.

C'est tout. Puis elle s'est répétée.

– Oh, Daisy...

Comme la voix m'a manqué pour répondre, je l'ai prise dans mes bras.

Elle a fini par se dégager et ramasser mon sac de voyage.

– Tout le monde est très impatient de te voir, a-t-elle déclaré. On n'a toujours pas d'essence à mettre dans la Jeep. On y va à pied ?

J'ai ri – qu'est-ce que j'aurais pu répondre d'autre que Oui ? J'ai ramassé l'autre sac, elle m'a pris la main comme si on n'avait jamais été séparées et qu'elle avait toujours neuf ans, et on est montées jusqu'à la maison sous un serein soleil printanier en longeant des haies en fleurs qui n'avaient pas été taillées depuis longtemps, les pommiers en fleur aussi et les champs non entretenus. Tout ce qu'elle ne m'avait pas suffisamment bien expliqué dans sa lettre, elle me l'a dit à ce moment-là. À propos d'Isaac, de tante Penn et d'Osbert.

Ni l'une ni l'autre n'a prononcé le nom d'Edmond.

Voici entre autres ce qu'elle m'a appris.

La mort de tante Penn avait été confirmée deux ans après son départ initial pour Oslo. Je le savais déjà. Mais j'ignorais qu'elle avait été abattue en essayant de rentrer en Angleterre quelques mois après le début de la guerre pour retrouver ses enfants.

Les pauvres, ma mère et elle, je me suis dit. Deux sœurs tuées par leurs enfants.

Notre guerre et la leur se sont avérées remarquablement comparables. Il y avait des *snipers* et des bandes de rebelles armés partout, des groupuscules isolés de combattants clandestins, et la moitié du temps on ne pouvait pas distinguer les Bons des Méchants, ni eux non plus d'ailleurs. Il y avait des bus qui explosaient, et de temps en temps un bâtiment de l'administration, un bureau de poste ou une école, et on trouvait des bombes ou des colis suspects dans les centres commerciaux, et puis parfois, sans raison apparente, il y avait un cessez-le-feu, après quoi quelqu'un sautait sur une mine et tout recommençait. On aurait pu interroger mille personnes sur sept continents en leur demandant ce qui se passait sans obtenir deux fois la même réponse ; personne ne savait au juste, mais on pouvait être sûr qu'un des mots suivants allait figurer dans leur version des faits : le pétrole, l'argent, la patrie, les sanctions, la démocratie. Les journaux à sensation versaient dans la nostalgie du bon vieux temps de la Seconde Guerre mondiale, où les

Ennemis parlaient tous une langue étrangère et où l'armée s'en allait combattre à l'extérieur.

Et pourtant la vie continuait. Les frontières restaient fermées aux touristes mais on avait observé un certain retour à la normale après la fin de l'Occupation, c'est-à-dire peu après mon départ.

Quand on a officiellement eu la certitude que tante Penn était morte, Osbert avait atteint sa majorité, et comme ça n'intéressait visiblement personne d'adopter la petite famille c'est à lui que cette responsabilité est revenue, même si, comme disait Piper, ça n'a pas changé grand-chose dans les faits. « Il est parti l'année dernière habiter avec sa petite amie », m'a-t-elle raconté, « mais on continue à le voir tout le temps. »

Quant à Isaac, d'après elle il était toujours le même. Il parlait un peu plus, mais surtout aux animaux. Ces cinq dernières années, il les avait employées à reconstituer le troupeau de moutons à la laine tout emmêlée, et Piper et lui avaient en plus des chèvres un petit troupeau de vaches, des cochons, deux chevaux de selle, un poney et des poules. Les potagers étaient très étendus et ils en laissaient une bonne partie en friche pour obtenir des semences à replanter l'année suivante.

Ils avaient décidé d'être autosuffisants. C'était plus sûr après ce qui s'était passé et, pour eux, c'était aussi le mode de vie le plus naturel. Piper m'a dit que les gens des environs apportaient à Isaac les bêtes qui avaient des maladies physiques ou mentales parce qu'ils le savaient capable de les guérir, et que ces temps-ci c'était un luxe de renoncer à un animal en mauvaise santé ou dangereux. On l'appelait le Rebouteux dans tout le canton mais ce n'était pas péjoratif.

Ensuite elle m'a parlé d'elle-même ; elle était amoureuse d'un certain Jonathan qui était en fac de médecine. Du coup elle voulait faire la même chose. Les universités avaient rouvert mais la liste d'attente était longue et elle craignait de ne pas être prise cette année-là. J'ai senti que ce n'était pas une amourette d'adolescents, mais de sa part ça m'aurait étonnée, de toute façon. Il l'aimait. Là non plus je n'étais pas surprise. J'ai dit que j'avais hâte de faire sa connaissance et c'était sincère.

On a franchi en silence les quelques centaines de mètres qui nous séparaient encore de la maison, dont j'ai aperçu la pierre couleur de miel dès l'entrée de l'allée. J'ai serré plus fort la main de Piper et mon cœur s'est mis à bégayer ; il se contractait si fort à chaque battement que le sang faisait un bruit de souffle dans mes oreilles.

Isaac nous attendait en tenant un joli colley par le collier.

Je l'ai pris dans mes bras et il a souri. Son odeur familière a empli mes narines. Il était beaucoup plus grand que moi maintenant ; à la fois robuste et élancé, il restait très calme.

– J'aurais voulu venir te chercher, a-t-il déclaré gravement. Mais Piper me l'a interdit. Elle est très possessive, tu sais.

Je crois que je ne l'avais jamais entendu prononcer une phrase aussi longue. Il avait toujours la même façon de pencher la tête sur le côté et de hausser légèrement un sourcil, et les souvenirs – plus la peur – m'ont assaillie avec une telle force que j'ai senti le sol se dérober sous mes pieds.

– Viens, m'a dit Piper en me reprenant par la main. Allons voir Edmond.

4

Six ans.

Mes fantasmes et moi, on avait la même constance : c'était toujours Edmond et moi. On vivait ensemble, je ne sais pas trop comment.

Et c'était tout. Je ne m'étais jamais donné la peine de préciser les détails. Car les détails n'avaient pas d'importance.

Il faisait bon ce jour-là et Edmond était dehors, assis bien droit sur une chaise longue, les paupières mi-closes, dans le jardin tout blanc. Il nous tournait le dos ; Piper est allée s'agenouiller devant lui.

– Edmond, a-t-elle murmuré en lui posant une main légère sur un genou. Edmond, regarde qui est là.

Alors il a tourné la tête, et je n'ai pu ni m'approcher de lui ni afficher la moindre expression.

Il était maigre, beaucoup plus maigre que moi maintenant, et son visage était comme usé. Là où Isaac était mince et gracieux, Edmond, lui, était émacié.

Il a légèrement plissé les yeux, puis il s'est détourné

et ses paupières se sont refermées. Comme si l'incident était clos.

Rien ne m'avait préparée à ça.

Piper a approché une chaise pliante, m'y a fait asseoir et s'en est allée préparer du thé. D'abord je me suis contentée de regarder Edmond, et au bout d'un moment il a enfin reposé sur moi ses yeux couleur de ciel changeant. Il avait les bras couverts de cicatrices – certaines récentes, d'autres en train de guérir, quelques-unes réduites à de simples lignes blanches très fines. J'en voyais aussi autour de son cou et il avait un tic nerveux qui consistait à y passer sans arrêt ses doigts.

– Edmond...

Je n'ai pas su comment poursuivre.

Mais de toute façon ça n'avait aucune importance. Pour lui j'étais encore à des milliers de kilomètres. Les frontières étaient encore fermées.

Je suis restée assise là, mal à l'aise, ne sachant que faire. J'avais envie de le toucher mais il a rouvert les yeux et dans ses regards je n'ai lu que du venin.

Piper est revenue avec le thé. Ce bon vieux thé anglais qui résiste à tout. Il y a deux guerres mondiales, sur le champ de bataille les infirmières en donnaient déjà aux soldats blessés ; il s'écoulait à travers les plaies causées par les balles et les tuait instantanément.

Je me suis retournée vers le jardin, impeccablement tenu – par qui ? me suis-je demandé. L'enfant-ange avait été nettoyé de sa mousse et tout autour on avait planté des perce-neige et des narcisses qui déversaient dans l'air un parfum entêtant. J'ai pensé au fantôme de cet enfant mort depuis si longtemps qui nous regardait et dont les os desséchés étaient profondément engloutis dans la terre.

Sur les murs en pierre chauffés par le soleil les roses trémières commençaient tout juste à fleurir, et de grandes branches de chèvrefeuille et de clématites toutes tordues luttaient les unes contre les autres en escaladant le mur pour passer par-dessus. Contre un autre mur j'ai vu des fleurs de pommier, blanches elles aussi, sur des branches qu'on avait coupées et disposées en forme de crucifix pointus puis plaquées contre la pierre. Au-dessous, les grands pétales dentelés des tulipes blanches et crème, qui faisaient penser à des lèvres, opinaient doucement dans leurs parterres. Elles étaient presque passées ; trop ouvertes, presque entièrement déployées, elles offraient aux regards un cœur d'un noir obscène. Moi qui n'ai jamais eu de jardin à moi, tout à coup j'ai senti dans le fouillis de celui-ci quelque chose qui n'était pas de la beauté. Peut-être plutôt de la passion. Et quelque chose d'autre aussi. De la rage.

C'est Edmond, ai-je songé. Je le reconnais dans ces plantations.

Je me suis retournée vers lui et je l'ai regardé droit dans les yeux. Ils étaient pleins de dureté, de colère et d'obstination.

La journée était pourtant si belle... Tiède, regorgeant de vie. Je n'arrivais pas à faire le lien avec le spectacle que j'avais sous les yeux.

Piper m'a adressé un petit sourire las.

– Donne-lui un peu de temps, a-t-elle dit comme s'il ne pouvait pas du tout nous entendre.

De toute façon, je n'avais pas le choix.

Par la suite, il m'a fallu faire un gros effort de volonté pour pénétrer à nouveau dans ce jardin. L'air y était suffocant, lourd, les plantes affamées y suçaient la terre avec un appétit féroce. On les voyait presque pousser, presser leurs langues grasses et vertes dans le terreau noir. Elles en ressortaient égoïstes, avides, cherchant frénétiquement l'air libre.

Dans ce jardin je ne pouvais pas respirer. Je devenais claustrophobe, j'étouffais ; j'émettais désespérément des pensées gaies pour qu'Edmond ne puisse pas entrer dans ma tête et savoir à quel point j'étais terrifiée, à quel point j'enrageais et je me sentais coupable. Mais je ne crois pas qu'il ait même essayé.

Et il restait assis là, immobile et froid comme la statue de l'enfant mort.

Je restais de moins en moins de temps avec lui à mesure que les jours passaient car ma peur prenait le dessus et la blancheur prédatrice du jardin m'aveuglait.

Je me trouvais des excuses, je m'abandonnais totalement aux travaux de la ferme. Comme il y avait fort à faire je réussissais à m'illusionner, à croire que personne ne remarquait ce qui pourtant sautait aux yeux.

C'était comme à l'époque où je ne mangeais pas. Tout le monde se rendait bien compte de ce qui se passait.

Quelques jours plus tard, je me suis trouvée seule

dans la grange avec Isaac. Piper était allée retrouver Jonathan, qui rentrait d'une semaine à l'hôpital. Les déplacements étaient si difficiles qu'il était plus logique pour lui de rester de longues périodes sans rentrer.

Pour une fois Isaac m'a regardée dans les yeux, comme il faisait avec les chiens.

– Parle-lui, m'a-t-il dit sans préambule.

– Je ne peux pas.

– Qu'est-ce que tu es venue faire d'autre ?

– Il ne veut pas m'écouter.

– Si, il écoute. Il ne peut pas faire autrement. C'est justement pour ça qu'il a eu autant de malheurs.

Je savais bien que n'importe lequel d'entre eux serait prêt à me raconter toute l'histoire, mais je n'osais pas demander. Je n'osais pas entendre la vérité.

J'ai contemplé les yeux d'Isaac, leur curieux mélange de chaleur et d'impassibilité. J'ai bien vu qu'il souffrait pour Edmond autant qu'il pouvait souffrir pour tout autre être vivant.

Et brusquement, ce qui, en moi, m'avait aidée à poursuivre mon but pendant toutes ces années m'est remonté à la gorge comme du vomi ; c'était du poison et pour une fois, je n'ai pas tenté de le ravaler, ni de le remodeler en quelque chose de poli.

– Merde ! S'il écoute aussi ATTENTIVEMENT QUE ÇA, j'ai hurlé, ALORS COMMENT ÇA SE FAIT QU'IL N'ENTEND PAS QUE SI J'AI RÉUSSI À SURVIVRE JOUR APRÈS JOUR PENDANT DES ANNÉES, C'EST À CAUSE DE LUI ?

– Il le sait. C'est juste qu'il a oublié comment y croire.

Je n'ai rien dit pendant un long moment.

– Le jardin me fait peur.

– Oui.

On a échangé un regard et là, j'ai vu ce que j'avais besoin de voir.

– Continue à le lui dire, a-t-il conclu calmement avant de se remettre à nourrir les cochons.

Il n'y avait rien d'autre à faire. J'ai continué à le lui dire. Je suis retournée au jardin, je me suis assise auprès de lui pendant des heures et des heures à le lui répéter, et la plupart du temps je sentais les portes qui se refermaient en claquant pour qu'il ne soit pas obligé d'entendre. Mais j'étais déterminée.

ÉCOUTE-MOI, ESPÈCE DE SALAUD.

Il n'a pas bronché.

ÉCOUTE-MOI.

Pour finir, il s'est passé quelque chose. Pour finir, la tiédeur, les arômes, le bourdonnement lent et pesant des abeilles m'ont fait tomber sous le charme et ont agi sur mon cerveau comme une dose d'opium ; et la boule compacte de peur et de fureur qui m'avait maintenue en vie pendant des années s'est peu à peu défaite.

Moi aussi j'ai commencé à m'ouvrir.

Je t'aime, lui ai-je enfin dit. Et puis je le lui ai redit, redit et répété, jusqu'à ce que les mots ne sonnent même plus comme des mots.

Et un jour, il s'est tourné vers moi, le regard vide, et il a parlé.

– Alors pourquoi tu m'as quitté ?

J'ai essayé de lui raconter notre périple, puis le jour où Piper et moi étions descendues à la maison comme d'habitude pour voir s'il était là, le téléphone qui s'était mis à sonner, la voix de mon père à l'autre bout du fil... Je lui ai dit combien j'avais regretté pendant des années d'avoir décroché, seulement voilà, *j'avais* décroché, et le temps de me rendre compte de ce que mon père me réservait je n'avais rien pu faire puisque maintenant il savait où j'étais, qu'il avait des « relations partout y compris à l'étranger » et qu'en dépit de mes pérégrinations et des victoires que j'avais remportées sur l'adversité je n'étais quand même qu'une gamine de quinze ans prise dans le tourbillon de la guerre, impuissante face à un « certificat médical officiel requérant une hospitalisation immédiate ». Dans un autre pays.

Mon père avait fait ce qu'il croyait être dans mon intérêt.

Edmond s'est encore détourné. Il connaissait cette histoire, bien sûr. Il avait dû l'entendre cent fois dans la bouche de Piper.

Mais sans doute fallait-il qu'il l'entende de la mienne.

Je me suis penchée pour lui prendre les deux mains et les poser sur mon visage, et quand il a voulu les retirer, je l'en ai empêché. Alors, sans me soucier de savoir s'il m'écoutait ou pas, je lui ai raconté le reste. Toutes les années pendant lesquelles j'avais revécu seconde par seconde tous les moments qu'on avait passés ensemble lui et moi, les années à le chercher, les années faites de rien ni de personne d'autre. Et chaque minute de chacune de ces années, je l'avais passée à essayer de rentrer à la maison.

Le jour a cédé la place au crépuscule, le crépuscule au soir, puis la lune s'est levée, les constellations se sont déplacées dans le ciel, je parlais, il écoutait, et il m'a fallu presque toute la nuit pour en faire le tour, mais j'ai continué tant que j'avais des choses à lui dire. Et quand j'ai voulu lui lâcher les mains parce que les miennes étaient glacées, recrues de crampes et de fatigue, je n'ai pas pu.

On est restés tout près l'un de l'autre dans le jardin blanc, éclairés par la lumière froide et blanche des étoiles, avec l'autre pour unique source de chaleur.

– D'accord, a-t-il fini par dire tout fort, d'une voix étrange, forcée, comme s'il avait oublié comment on parlait.

Et c'était tout. D'accord.

Alors il s'est dégagé pour s'emparer de mes mains, toutes raides et frigorifiées, pour les envelopper dans les siennes, qui étaient tièdes.

C'était un début.

5

D'après Piper, à la fin de l'Occupation la plupart des jeunes hommes avaient été enrôlés dans l'armée et une grande partie de la population urbaine s'était peu à peu redistribuée vers les campagnes, où on disait que le risque était moins grand. Des coopératives ont fait leur apparition pour prendre en charge les travaux agricoles et nourrir tout le monde.

C'est par leur coopérative commune qu'elle avait d'ailleurs fait la connaissance de Jonathan ; il secondait un des médecins et elle dirigeait les laiteries. Ils n'avaient pas eu besoin de se faire la cour. Ils s'étaient rencontrés, et ils ne s'étaient plus quittés.

Il habitait chez eux, maintenant ; c'était lui qui m'avait répondu au téléphone. Piper et lui formaient un beau couple. Elle était douce et sérieuse, lui ardent et plein d'humour, et intensément impliqué dans le monde extérieur, contrairement à sa famille à elle.

Il m'a tout de suite plu. On était tous les deux des *outsiders* qui nous percevions un peu comme des Gardiens Privilégiés.

Je savais qu'il la protégeait de son mieux.

C'est Jonathan qui m'a raconté les années d'après mon départ. Les écoles ont fini par rouvrir, les exploitations agricoles se sont mises à vendre de la nourriture, des réseaux de distribution sont apparus un peu partout et on trouvait à peu près de tout au marché noir – des médicaments importés aux chaussures neuves si on avait les moyens.

– Cette période a été très difficile pour beaucoup de gens, a-t-il ajouté. (Piper a baissé les yeux sur ses mains.) Il y a eu énormément de morts.

– Racontez-moi tout ce qui s'est passé, ai-je finalement demandé un soir où le ciel se striait de rose et d'or et où les derniers rayons du soleil couchant illuminaient le jardin.

À part qu'Edmond et Isaac avaient survécu, je ne savais rien. Ni ce qu'ils avaient traversé ni comment ils s'en étaient sortis. Ce qu'ils avaient dû faire.

Comme Piper gardait le silence, là encore, c'est Jonathan qui m'a fourni les éléments manquants.

Edmond et Isaac avaient passé un été paisible à Gateshead Farm, comme Piper et moi à Reston Bridge. Ensuite, les choses avaient commencé à changer. L'ambiance s'était gâtée, on rapportait des histoires d'émeutes et d'incidents violents ; tous deux avaient su alors – avec cette façon qu'ils ont de *savoir* – que quelque chose n'allait pas, qu'une catastrophe approchait. Ils avaient tenté de mettre en garde les gens qui les entouraient, le docteur Jameson. Ce dernier les avait écoutés avec compassion, mais il aurait fallu être capable d'une confiance aveugle pour agir sur la foi de leurs seules prémonitions. Leur petite communauté était trop bien stabilisée et trop apeurée pour partir se cacher dans les bois sous prétexte que deux gamins sentaient venir quelque chose. Cela n'avait pas suffi à les faire partir. On ne pouvait pas vraiment leur en vouloir, surtout avec le recul.

Isaac considérait que son premier devoir était de sauver sa peau et celle d'Edmond, mais ce dernier ne voyait pas les choses de la même manière. Pour lui, en partant ils abandonnaient tous ces gens à une mort certaine. Pour la première fois de leur vie ils s'étaient disputés et Isaac avait eu le dessus. Il avait fait peser sur Edmond toute la puissance de sa volonté. Il l'avait malmené. Bref, il avait fait le nécessaire pour s'assurer qu'ils s'en sortiraient tous les deux. Et ils s'en étaient sortis. Mais cela les avait séparés. Car Isaac avait pu supporter les conséquences de sa décision, mais pas Edmond.

Ils étaient partis se cacher ensemble, mais c'était trop dangereux. La région fourmillait de militaires et de groupes d'autodéfense, et Isaac s'était dit que pour survivre, il fallait rester constamment en mouvement. Il avait essayé de persuader Edmond de rentrer chez eux, mais celui-ci n'avait pas voulu – ou peut-être pas pu. Pour finir Isaac avait fait ce qu'il n'aurait jamais cru possible : il avait laissé Edmond sur place. Il espérait sans doute que son frère le suivrait.

– Isaac s'est caché quelque temps au village.

Jonathan a regardé Piper, qui a détourné les yeux.

– Il est arrivé deux jours après ton départ.

J'ai lâché un hoquet, comme si on m'avait donné un coup de poing dans le ventre. Il y a des choses qui vous fendent le cœur même quand vous croyez qu'il n'y a plus rien à fendre.

Jonathan a inspiré profondément.

– Après le départ d'Isaac, Edmond était retourné à Gateshead, alors qu'il savait à quel point c'était dangereux. Il avait vécu et travaillé des mois à côté de ces gens, il les connaissait individuellement ; il se disait peut-être que s'il rendait ses mises en garde plus efficaces, plus crédibles, s'il pouvait les forcer à l'écouter, alors il pourrait les sauver. Évidemment il n'y est pas arrivé. Il a dû renoncer et s'enfuir en constatant qu'il ne pouvait rien pour eux. (Jonathan a secoué la tête.) Comment tous ces gens, parmi lesquels des enfants, auraient-ils pu se cacher dans les bois, sans rien à manger, de toute façon...

Il a marqué une pause.

– Il y a eu des milliers d'histoires comparables, et en règle générale, elles ne se sont pas bien terminées.

Aucun d'entre nous n'a émis de commentaire.

Puis Jonathan a pris une nouvelle inspiration et poursuivi son récit.

– On ne connaît pas très bien la suite, mais vous avez vu ce qui est arrivé à Gateshead. Piper et toi êtes mieux placées que quiconque pour le savoir. Peu après, Edmond a été découvert à quelques kilomètres de là par des soldats – pas les nôtres. Il était à moitié mort de faim et tu peux imaginer quoi d'autre. Ils l'ont détenu un mois, mais sans lui faire de mal, sauf qu'il n'y avait jamais assez à manger et qu'ils ne gaspillaient pas la nourriture pour les prisonniers. On ignore pourquoi ils lui ont laissé la vie sauve. C'est comme ça. Au bout du compte, ils se sont tellement bien habitués à lui et au fait qu'il ne bougeait ni ne parlait jamais, et qu'il n'essayait jamais de s'enfuir, qu'un beau jour il est parti, tout simplement. Il est rentré à la maison à pied. Dieu sait comment. Et c'est là que Piper et Isaac l'ont trouvé, malade, affamé et mutique. Ils ont réussi à l'entraîner jusqu'à la grange d'agnelage, où ils se cachaient, mais il refusait de parler, de dire ce qui lui était arrivé. Il a fallu...

Il a consulté Piper du regard.

– Plus d'un an. Tu as pu voir par toi-même ce qu'il s'est infligé. Comme s'il n'avait pas assez souffert comme ça, comme s'il n'avait pas été assez puni. Et puni de quoi, d'ailleurs ? D'être resté en vie.

On n'a rien dit pendant un bon moment.

Enfin, Piper a pris la parole d'une voix douce.

– Et puis il y a eu le jardin. Ça lui a pris longtemps avant de quitter sa chaise longue, mais il s'y est mis, lentement ; il creusait, il donnait un coup de main pour les légumes, toujours sans dire grand-chose, mais en en faisant chaque jour un peu plus. Ça l'aidait, on voyait très bien à quel point. Il désherbait, il taillait, il déterrait les vieux bulbes et les mettait au sec pour l'hiver. Il ramassait des graines et les étiquetait. Et puis au printemps, il s'est mis à planter, mais pas seulement des choses qui se mangent. Il y avait autre chose.

Elle m'a regardée.

– Jusque-là il n'avait jamais manifesté beaucoup d'intérêt pour le jardin ; mais une fois lancé, il s'est mis à travailler compulsivement ; il était infatigable. Il y restait tous les jours jusqu'à une heure tardive, et ce n'était même pas la peine de l'appeler. Il n'aurait pas pu s'arrêter, même s'il avait voulu, de toute façon.

» Le pire, pour lui, c'était en hiver, parce qu'il y avait beaucoup moins à faire au jardin. Pourtant, on le retrouvait quand même dans la neige à dégager les branches pour qu'elles ne cassent pas et à recouvrir les plantations de sacs ou de foin pour les protéger du gel. Il mettait parfois une intensité effrayante dans ce qu'il faisait mais après coup il semblait calmé. Il ne nous a jamais parlé de son retour à Gateshead ni de son séjour parmi les soldats, ni révélé ce qu'il avait fait après le départ d'Isaac. Jonathan a presque tout appris des gens qui l'ont vu, qui savaient ce qui se passait. Il a tout enfermé en lui, et sa façon de l'extérioriser, c'est ça.

Sur ces mots, elle a indiqué les branches denses et épineuses d'un rosier produisant ce qu'on appelle une « rose sanguine », des branches mutilées et clouées au mur selon une horizontale cruelle mais avec encore quelque chose de sauvage, et chargées de fleurs grasses, couleur rouge sombre. Sous nos yeux, une abeille passait en zigzaguant d'une rose à l'autre, ivre, vacillant sous le poids de toute cette destinée botanique.

Et tout à coup, j'ai eu une révélation d'une clarté terrifiante. J'ai su qu'Edmond avait assisté au carnage. Il avait vu ces gens se faire massacrer de sang-froid, les hommes comme les femmes et les enfants, vu les mourants, les animaux abattus ou abandonnés à la famine. J'ignore comment il a survécu, et je ne le saurai probablement jamais. Mais je suis sûre, sans l'ombre d'un doute, qu'il était là.

Je ne pouvais même pas imaginer l'effet que cela avait dû avoir sur lui. D'ailleurs ce n'était pas la peine.

J'ai regardé Piper. J'ai lu dans ses yeux qu'elle ne savait pas. Quant à Jonathan, il ne pouvait pas l'avoir deviné. Isaac ? Mais Isaac sait tout ce qui nous arrive, à chacun d'entre nous, non ?

– Et voilà, a conclu Piper. C'est tout.

Mais moi, je savais que ce n'était pas tout. Ils avaient omis un chapitre dans cette histoire.

Celui où le héros rentre à la maison et apprend que je suis partie.

6

Je suis devenue jardinière, en quelque sorte.

C'était la seule façon de communiquer avec lui – non pas avec des mots, mais par le travail acharné, le contact des outils anciens, le fait de savoir que des bulbes bien gras attendaient, enterrés au plus profond du riche terreau. Je l'observais, je prenais modèle sur lui pour creuser, planter, faire pousser des choses. Au début il ne faisait rien pour m'aider, mais de toute façon je n'avais pas besoin de son aide. Tout ce que je voulais c'était être avec lui au soleil, à planter de minuscules graines dans la terre friable en désirant de tout cœur qu'elles donnent des fleurs.

Maintenant, on se promène et, de temps en temps, il me parle, me nomme les plantes qu'on croise dans les champs. Les noms sont difficiles à mémoriser et trop nombreux ; les seules que j'arrive à garder en tête sont celles qui m'ont sauvé la vie.

Corylus avellana. La noisette. *Rubus fruticosus.* La mûre. *Agaricus campestris.* Le rosé des prés, un champignon.

Rorippa nasturtium aquaticum. Le cresson de fontaine. *Allium ursinum.* L'ail des bois, ou ail des ours. *Malus domestica.* La pomme.

Parfois on s'assoit côte à côte comme on faisait il y a mille ans et, sans dire un mot, on écoute les grives et les alouettes. Il arrive même qu'Edmond sourie quand un souvenir lui revient, et c'est le moment que je choisis pour me tourner vers lui, passer le bout de mon doigt sur ses cicatrices et, sans prononcer un mot à voix haute, lui dire et lui répéter que je suis de retour à la maison.

Edmond et moi sommes donc enfin réunis, après tout ce temps.

Je n'ignore rien de ce qui compose son existence. Je sais qu'il ne fera jamais taire ces voix indicibles. Il a entendu des gens tuer, d'autres gens mourir, et leurs voix l'ont contaminé, elles se sont répandues dans son corps, elles l'ont intoxiqué. Il n'a su ni réduire ce vacarme au silence, ni renvoyer la haine vers le monde extérieur, comme nous l'avons fait de notre côté. Il l'a retournée contre lui-même. C'est ce que révèlent ses cicatrices.

Si Isaac a survécu, c'est grâce à son amour des animaux. Comme il avait le pouvoir de les soigner, sa souffrance en devenait supportable. Quant à Piper... eh bien, elle m'avait, moi. En la sauvant je me suis sauvée moi-même, et les choses qui auraient pu nous tuer sont aussi celles qui nous ont protégées. Protégées des ravages de la guerre par l'obstination, l'ignorance et une soif insatiable d'amour.

Je ne sais pas du tout jusqu'à quel point Edmond a été traumatisé. Je sais seulement qu'il lui faut de la tranquillité, et qu'il a besoin d'amour. Or, ces deux choses-là, je peux les lui apporter.

Je suis donc là avec lui, avec Piper, Isaac, Jonathan, les vaches, les chevaux, les moutons, les chiens, le jardin, tout le dur labeur nécessaire pour faire tourner une ferme et se maintenir en vie dans un pays rendu difforme par la guerre.

Ce contexte, je le connais très bien sauf que cette fois, il est à l'extérieur de moi. Et de toute manière, j'ai découvert que ce que je faisais de mieux, c'était rendre les coups.

Il a fallu tout ce temps, mais maintenant, je sais parfaitement où est ma place.

Ici. Avec Edmond.

Maintenant, c'est ma vie.

www.wiz.fr
Logo wiz : Cédric Gatillon

Composition Nord Compo
Impression Bussière, février 2006
Éditions Albin Michel
22, rue Huyghens, 75014 Paris
ISBN 2-226-17006-5
N° d'édition : 13279. – N° d'impression : 060554/4.
Dépôt légal : mars 2006.
Loi n° 49-956 du 16 juillet 1949
sur les publications destinées à la jeunesse.
Imprimé en France.